CW00541838

Einaudi. Stile Libero Big

Dello stesso autore nel catalogo Einaudi

Carlo Lucarelli
Il sogno di volare

Einaudi

Il sogno di volare

A Yodit, Giuliana e Angelica,
che riempiono la vita piú di un romanzo (bello)

Da giovane avevo un sogno,
volare come un uccello,
ma adesso che schiaccio l'aria
col mio peso non mi pare bello.
Io volo come un mattone,
come un sasso, una chiave inglese,
volare senza le ali
è un problema, mi sembra palese,
volare senza le ali
è un problema, mi sembra palese.

ANDREA BUFFA, *Il sogno di volare*

Era una sensazione.

Non un rumore, perché la musica dell'iPod gli riempiva le orecchie morbida e piena come cera fusa, e non era neanche un'ombra o un movimento, perché va bene che il lampione era rotto e il portico quasi buio, ma lui era cosí immerso nei suoi pensieri, gli occhi rivolti a guardarsi piú dentro che fuori, che non si sarebbe accorto di nulla neppure se fosse stato giorno e ci fosse stato il sole.

Era una sensazione.

Come quando uno si sveglia all'improvviso perché sente che qualcuno lo guarda, e infatti Enzo si strappò da musica e pensieri e si sfilò le cuffie per guardarsi attorno.

Ma non c'era niente.

Pensò cosí: *niente*. Non *nessuno*, proprio *niente*, perché la sensazione era che sotto quel portico buio, accanto a lui, mentre legava la bicicletta, non ci fosse qualcuno, ma qualcosa.

Qualcosa.

Ma non c'era niente.

Sarebbe rientrato nei suoi pensieri, tristi, e magari si sarebbe riempito ancora le orecchie di quella musica triste come i pensieri che lo aveva portato lí pedalando lento in una Bologna vuota, ma fu proprio la bicicletta, o meglio, la catena che teneva in mano, meglio ancora: il lucchetto aperto, a fargli dimenticare tutto, sensazione, pensieri, tristezza e musica.

Perché sotto quel portico, fissato, incollato, saldato alla colonna a cui legava sempre la sua bicicletta, c'era un cartello stampato in grande, al computer, che diceva di non mettercele lí, le biciclette, i motorini, niente, mai. E infatti il portico era vuoto, mura e colonne vergini, e tutti quelli che lo avevano fatto, soprattutto gli studenti come lui, si erano ritrovati con le gomme squarciate.

Ma lui no.

Lui ce la metteva sempre la bicicletta, legata al palo del divieto di sosta o direttamente alla colonna, e nessuno gli aveva mai fatto o detto niente.

Lui lo sapeva perché. E questo gli metteva dentro una rabbia, ma una rabbia, che gli faceva stringere i denti, e lo fece anche allora, strinse i denti, e lasciò il lucchetto aperto, la catena buttata sul manubrio, e pensando *affanculo, tanto neanche me la rubano a me la bicicletta* aprí il portone e lo lasciò andare, che sbattesse pure, e a quell'ora di notte, con la tizia del primo piano che lo aveva scritto anche lei su un cartello, ma dentro, *per favore accompagnate il portone*, fanculo, fanculo e fanculo.

Ma Enzo era un tipo piú da tristezza che da rabbia. Cosí si infilò di nuovo le cuffie dell'iPod nelle orecchie, e dato che aveva bloccato la ripetizione all'infinito trovò di nuovo quella canzone che parlava di una gazza, *vurria ca fosse ciaola*, volare fino a te, e tutte quelle cose che ascolta uno quando è innamorato però lei non lo vuole, se no sarebbe stato piú languore che tristezza.

Quella stronza.

E siccome triste, in quel momento, lo era molto, alzò il volume dell'iPod e non sentí che il portone che aveva lasciato andare – fanculo, fanculo, fanculo – non aveva sbattuto, anzi, si era chiuso in silenzio.

Quella stronza.

La musica gli riempí la testa di una nebbia densa, calda come fumo. Cantò le parole a fior di labbra, *vulasse a 'sta fenesta*, e gliele aveva fatte sentire, a lei, la stronza, gliele aveva tradotte e glielo voleva anche spiegare a quel sorriso di padana sufficienza che lo spaccava d'angoscia e di desiderio che era la Nuova compagnia di canto popolare, mica il solito neomelodico, ma che parlava a fare, perché si vedeva che non la capiva quella musica – etnica, l'aveva chiamata, *etnica*, mica popolare –, non le piaceva e soprattutto non le piaceva lui, Enzino. Magari come amico, forse, però a lui non gli bastava. Perché, c'è qualcuno che gli basta essere amico della ragazza che ama ma lei non lo vuole? È mai esistito uno cosí? E allora fanculo, fanculo, fanculo, quella stronza, ma lo pensò senza rabbia, con una dolcezza triste che ne faceva quasi un complimento, e fu in quel momento che di nuovo la sentí.

La sensazione.

Solo che questa volta era cosí forte da essere una presenza, e allora Enzo si strappò le cuffie, non se le sfilò, le tirò via e si girò di scatto, la chiave che stava per inserire nel portone puntata come un'arma e i brividi che già gli correvano velocissimi sotto i vestiti fino alla radice dei capelli, anche se non aveva ancora visto niente.

E quando lo vide abbassò le mani come si fa con un cane che attacca, perché arrivava da sotto, e pensando *oh, Dio! Dio! Dio!* spalancò la bocca per gridare fino a strapparsi le corde vocali ma riuscí solo a rovesciare gli occhi in un terrore muto e assoluto che mentalmente lo aveva già ucciso.

Parte prima

Non ricordo piú

Non ricordo piú come andò, come fu
la storia riporta che
non trovai Belzebú, Odino o Manitú...
qualcuno che aiutasse me!

BANDABARDÒ, *Non ricordo piú.*

Sembra una gomma da cancellare.

Si mangia l'azzurro della barretta e lascia una striscia bianca che si allunga lenta, decisa e muta, perché ancora non ci so fare con i comandi e cosí il cursore si muove silenzioso, anche se sotto, fra parentesi, uno dopo l'altro scattano i secondi.

Lo sfondo nero e grigio è solo uno dei tanti proposti dal provider, ma gli altri mi parevano tutti fuori luogo, tutti troppo precisi – la penna blu, l'inchiostro rosso, i sassi verdi, quello con i fiori –, pronti a significare qualcosa che era sempre qualcos'altro. Ci fosse stata una pagina bianca, soltanto una pagina bianca, ma non c'era, e allora l'unico colore restava il nero, pagina nera, con i riquadri grigi ai lati.

Il titolo del blog, in alto, al centro, in un Tahoma corpo 20 dalle curve morbide e allungate è *Diario di bordo*, grigio su nero, mentre sotto, a lettere bianche schiacciate dal corpo 12, il sottotitolo dice: *c'è qualcuno là fuori che può aiutarmi?* Senza virgole, tutto minuscolo.

Quello è stato facile inserirlo, come è stato facile mettere la foto. Credevo che fosse piú complicato quando ho puntato la freccetta del mouse sull'icona della macchina fotografica (percorso del file, sfoglia, immagini, scegli l'allineamento, scegli la grandezza, aggiungi, no, aspetta, barra la casella per accettare i termini di utilizzo) ed eccola là, in mezzo.

Nella foto c'è un uomo seduto su una sedia, una sedia di legno.

Tutto sbilanciato sulla destra – sembra che stia in equilibrio su due gambe, in bilico sul pavimento di terra battuta di un cortile, e pare che debba cadere da un momento all'altro –, tiene un braccio sollevato a mezz'aria, piegato contro il corpo come a reggere un ombrello invisibile, e si mangia le unghie dell'altra mano.

È una foto molto vecchia, la pagina di un libro, ingiallita lungo i bordi, fili piú scuri imprigionati nella pasta della carta come rughe, e anche l'immagine racchiusa nella cornice sottile del riquadro (*fig. 10*) è porosa e sbiadita come quella di un dagherrotipo. E infatti nell'ultima riga della didascalia sotto c'è scritto, in francese, *mars 1877*, e anche l'uomo sulla sedia non è un uomo ma un ragazzo, perché ha solo *treize ans*, tredici anni.

Eppure sembra piú vecchio.

E non solo per la giacca dai bottoni grandi allacciata sul petto, per i calzoni larghi da uomo, o per la scriminatura che gli spartisce al centro i capelli folti.

Sembra piú vecchio perché è una fotografia triste.

Il ragazzo che sembra un uomo ha lo sguardo fisso davanti a sé, giú in basso, verso i piedi che tiene l'uno sull'altro, le scarpe sovrapposte come mani che si stringono, ma non è quelle che guarda, non guarda niente. Si mangia l'unghia di un dito, il mignolo forse, e corruga la fronte, gli occhi nascosti dalle sopracciglia pesanti.

Cosa guarda: mi chiedo.

Mi chiedo: e perché la guarda cosí.

Eppure non dovrebbe essere triste.

La didascalia lo dice chiaramente che Louis, cosí si chiama il ragazzo, *n'a pas encore vu la vipère*.

Non ha ancora visto la vipera.

Stai tranquillo (penso), non è ancora successo niente, e tocco lo schermo con la punta delle dita, tocco la foto triste, e lo so che non ho tempo, devo fare in fretta prima che arrivino gli altri, ma resto a lungo a guardarla, quella foto, e mi schiaccio le mani sulla bocca, l'una sull'altra, mangiato dai brividi che mi mordono la pelle fino a farmi male.

Lo so che se ci fosse la musica al posto di quel cursore muto mi sentirei sempre piú debole, sempre piú vuoto, cosí sgonfio da piegarmi in avanti fino ad appoggiare la fronte alla tastiera, la bocca spalancata a soffiare piano tutta l'aria rimasta, poca, torbida e liquida, come la mia guancia sciolta sulla plastica, il mento che si squaglia sul legno della scrivania, si piega tutto da una parte, come cera, e poi si stacca.

Mi succede sempre cosí.

Una vertigine improvvisa, ma piccola, come uno smarrimento, e poi l'aria che si apre davanti alla faccia e io che vado giú, piano, pianissimo, finché non incontro qualcosa che mi ferma.

Il sangue che smette di scorrere nelle vene e tutto il corpo che si allarga, morbido e pesante (cosí mi sembra), senza forza, solo sospiri, la voglia di contrarmi per spremere fuori quella cosa umida che mi sento dentro (cosí mi sembra).

La musica però non c'è, c'è solo la barretta bianca, solo *Bandabardò, Non ricordo piú* scritto accanto, silenzioso, sopra quella fotografia triste, Louis che non aveva ancora visto la vipera ma stava male lo stesso, e allora tolgo le dita dalla bocca e affondo la faccia nelle mani e mi schiaccio i palmi sugli occhi come per piantarmeli dentro le orbite e piango urlando dalla bocca aperta come ho fatto quando una volta mi sono visto piangere, gli angoli degli occhi e quelli delle labbra piegati in giú, tre ellissi nere tagliate a metà come finestre di una cattedrale, tre bocche da forno, tre caverne buie da cui esce un latrato lungo e senza lacrime che dura tanto (quanto?)

Per fortuna gli altri non mi sentono, e quando smetto ho la gola cosí asciutta che mi fa male.

Allora evito di guardare la fotografia, e prima di mandare tutto online, sotto la data che compare automaticamente (giovedí, 4 agosto 2010) digito rapido sulla tastiera l'unica cosa che posso aggiungere.

Times New Roman, corpo 12.

Lettere bianche su sfondo nero.

C'è qualcuno che può aiutarmi là fuori?

C'è qualcuno che può aiutarmi là fuori?

Aveva fatto un sogno, la faccina di un bambino piccolo piccolo, praticamente appena nato, rattrappita in un pianto acuto, continuo e assordante, e accanto un'altra faccina identica, gli stessi lineamenti contratti dallo sforzo, gonfi e rossi attorno alle stesse fessure profonde degli occhi serrati e della bocca spalancata.

Grazia li guardava dall'alto, immobile sulla sponda del letto, un biberon di latte che le scottava in mano, guardava i bambini piangere e scalciare e prendere a pugni l'aria con le manine strette e non si ricordava piú a chi dei due aveva già dato da mangiare e a chi no, perché erano identici, due gemelli perfettamente uguali. Pensava che se avesse sbagliato dando il biberon a quello che aveva già mangiato il latte gli sarebbe uscito fuori dalla bocca come da un bicchiere troppo pieno, e se lo vedeva – sempre in sogno – come un'anticipazione del pensiero, il rivolo biancastro che gli scorreva agli angoli delle labbra, gli usciva dagli occhi come un fiume di lacrime bianche, dal naso, e aveva provato una paura, un'angoscia, che l'aveva svegliata, perché quello non era piú un sogno, ma un incubo.

Non era un sogno ricorrente. Lo aveva fatto una volta e basta, e anche tempo fa, ma le era tornato in mente adesso, stesa sulla schiena, le gambe aperte e le caviglie appoggiate alle mezzelune imbottite che si alzavano in fondo al lettino. Era una posizione che l'aveva sempre messa a disagio, la-

sciandola ad aprire e chiudere nervosamente le dita dei piedi finché il ginecologo, uomo o donna che fosse, non le aveva detto che poteva rivestirsi. Era passata dal *tu* di quando
non era ancora adolescente al *lei* di adesso, ma la sensazione
era rimasta la stessa.

– Abbiamo fatto. Può rivestirsi.

Grazia tirò giú le gambe appoggiando piano le punte dei
piedi nudi perché si aspettava che il pavimento di una clinica
fosse sempre freddo, nonostante il caldo afoso di agosto che
c'era fuori e il filo impercettibile di aria condizionata dentro.
Si asciugò il gel dalla pancia con un fazzolettino di carta e si
rivestí alla svelta, jeans, canotta e camicetta, uscendo da dietro il paravento con ancora in mano le scarpe da ginnastica,
la fondina con la pistola e il cellulare, perché era impaziente.

La ginecologa era una donna, molto brava e molto gentile, che spiegava tutto per bene, pure quello che Grazia non
avrebbe capito comunque. Aveva davanti immagini di ecografie in bianco e nero che sembravano disegni tratteggiati a
matita. Erano dell'utero di Grazia, anche se a lei sembravano le scannerizzazioni delle impronte digitali che arrivavano
dalla scientifica, o certi fermo immagine delle telecamere di
sorveglianza spediti via fax dai commissariati meno evoluti.

Guardò la dottoressa mentre parlava indicando i punti sulle ecografie, e la guardò senza ascoltarla perché aveva paura
che dicesse qualcosa che non voleva sentire. Avrebbe tirato volentieri su le gambe, i talloni agganciati al bordo della
sedia e le ginocchia tra le braccia, come faceva da bambina
dopo le visite, chiusa come un guscio, e anche la prima volta
che aveva fatto l'amore, dopo, sulla spiaggia. Invece restò
seduta composta, chinandosi per infilare le scarpe quando
si accorse che era ancora scalza.

– Insomma, – disse all'improvviso, interrompendo la dottoressa, – si può fare?

– Ma certo. Qui è tutto a posto, – la dottoressa toccò ancora le ecografie con la punta di un dito, – le analisi vanno bene e va abbastanza bene anche lo spermiogramma di suo marito.

– Compagno, – disse Grazia, e pensò a Simone che l'aspettava a casa, seduto sul divano, seccato e ancora imbarazzato, *è stato come farsi una sega nel bagno della scuola durante un compito in classe, e col professore che ti aspetta fuori.*

– Certo che si può fare, anzi. Lei è perfettamente in grado di rimanere incinta. Poi, è vero, ci sono tanti fattori. Lo stress, per esempio.

Il cellulare aveva ricominciato a vibrare accanto alla pistola, risuonando sul legno della scrivania come un enorme calabrone. Grazia premette un tasto sul lato staccando la suoneria senza neanche guardare chi l'avesse chiamata, perché si era presa il giorno libero proprio per andare in clinica. Rimise il cellulare a faccia in giú e si accorse che la dottoressa stava guardando la pistola.

– Ecco, anche il suo lavoro non deve essere proprio…

– È un lavoro come un altro, – disse Grazia agganciandosi la fondina alla cintura, dietro la schiena, sotto la camicetta che teneva aperta come una giacca. – Dipende solo dai momenti.

– Be', faccia in modo che questo sia il momento giusto. Una volta ci pensava la natura, soprattutto con una donna ancora giovane come lei. Quanti anni ha, trentuno?

– Trenta.

– Ecco. Poi l'inquinamento, l'alimentazione, la frequenza e la qualità dei rapporti…

Di nuovo Simone, sul letto, nudo, una delle ultime volte che avevano fatto l'amore. Fissava il soffitto senza guardarla, era cieco fin dalla nascita, ma era come se ci vedesse, e anche di piú, perché osservava le cose con tutti gli altri sensi. Cosí la sentí tirare su col naso, appena un sospiro, ma troppo umido, allungò una mano prima che lei riuscisse a voltare la testa e le toccò una lacrima, schiacciandola sotto le dita.

Se lui avesse detto qualcosa, se l'avesse detta lei, allora, subito, ma nessuno disse niente, Simone a fissare il soffitto e lei sotto la doccia.

Non dire piú che facciamo l'amore, le aveva sussurrato l'ultima volta, *cos'è non lo so, Grazia, ma non è piú amore*.

– Lo stress, soprattutto.

Il cellulare aveva ripreso a ronzare. Grazia lo staccò di nuovo, evitando di guardare il display.

– Perché non lo spegne?

– Non importa, non mi dà fastidio.

– Va bene. Allora, mi servono un po' di firme sui documenti, il consenso informato sulla terapia, la privacy, l'accettazione del preventivo… Intanto le scrivo la ricetta per il Gonal e il Decapeptyl, poi le spiego come si prendono.

Ancora il calabrone. Grazia lo teneva sempre cosí il cellulare, senza la suoneria, ma era insistente lo stesso, un ronzio lungo che si interrompeva e ricominciava, a intermittenza, proprio come un enorme calabrone in volo, piú lontano, piú vicino, piú lontano…

Grazia prese il telefono e guardò il display.

Matera.

Lo aveva detto in ufficio che quello era il suo giorno libero. Lo aveva detto che quella mattina non c'era, aveva da fare, una cosa sua, una cosa di salute.

Matera.

Lo aveva detto, lo aveva detto.

Matera.

Cazzo.

– Matè, che vuoi? Sto facendo una cosa.

Matera si era abituato a parlare senza quasi aprire la bocca, per tenere il sigaro fermo tra i denti. Da quando non poteva fumare piú – ordine del medico – aveva sempre il sigaro tra le labbra, spento, va bene, ma sempre. Se lo mangiava lentamente e alla fine della giornata il sigaro non c'era piú.

– Grazia, devi rientrare subito. È importante.

– Anch'io sto facendo una cosa importante. L'avevo detto che oggi non c'ero, no? L'avevo detto.

– Senti, hanno ammazzato un ragazzo, ieri notte.

– Lo so, l'ho sentito, uno studente. Mica è un caso nostro, è della omicidi. Che c'entra l'antimafia?

– Niente finché si chiamava soltanto Vincenzo Cardella, che sarebbe appunto il cognome del padre. Vuoi sapere come si chiama la madre?

Grazia aveva preso uno dei moduli e stava scegliendo una penna da un bicchiere con sopra il logo di una casa farmaceutica. Voleva cominciare a firmare per far vedere alla dottoressa che la telefonata non era cosí importante, che avrebbe chiuso subito, ma non iniziò neppure e la penna rimase nel bicchiere.

– Si chiama Giannello, Grazia. Anna Maria Giannello. Il ragazzo ammazzato è il nipote di Giannello Carmelo.

Cazzo.

Non sapeva se l'aveva detto o soltanto pensato. In ogni caso la dottoressa smise di mettere crocette accanto alle righe tratteggiate e guardò Grazia che scuoteva la testa mordendosi un labbro cosí forte che doveva farle male.

– Va bene, Matè, mo' arrivo, – disse al cellulare, e poi alla ginecologa: *mi porto via le carte ché me le firmo a casa* e se *mi dà la ricetta per la terapia poi la richiamo.*

– Ecco, – disse la dottoressa, – è proprio questo che intendevo.

È la guerra, pensava Grazia cercando di infilarsi tra un taxi e una Volvo all'incrocio con via Irnerio, strozzata in una lunga fila indiana dai cantieri del nuovo tram metropolitano. Istintivamente alzò la mano sotto il parasole per prendere la paletta e spezzare in due quel serpentone inferocito, bollito dal sole e assordato dal rumore dei martelli pneumatici che spaccavano l'asfalto, ma quella non era l'auto di servizio, era la sua Panda con il condizionatore rotto, i finestrini inutili abbassati sull'aria immobile e la ventola che le sparava addosso un getto rovente che almeno le seccava il sudore.

È la guerra, pensava Grazia, e ci pensava cosí tanto che non fece neanche un gesto di scuse al tassista, lasciandolo a mandarla affanculo nello specchietto retrovisore, inchiodato a una spanna dal suo paraurti.

Carmelo Giannello.

Lo conosceva bene, o meglio, fisicamente lo conosceva solo fino alla cintura, dove lo tagliava la foto a mezzo busto incollata al tabellone sulla parete del suo ufficio, in cima a una piramide di fotografie, appena sotto le scritte DIREZIONE INVESTIGATIVA ANTIMAFIA, piú in grande, e OPERAZIONE RIGOLETTO, piú in piccolo. Nella foto portava ancora un maglione a collo alto sotto il giubbotto di pelle, e anche la barba lunga, ma era un fotografia vecchia, perché da quando Carmelo Giannello era diventato l'anello di collegamento fra le imprese edili controllate dalla famiglia in Emilia-Romagna, dicevano che si vestisse come un vero imprenditore. Dicevano, perché una volta entrato nella lista dei dieci latitanti piú ricercati in Italia – quattordicesimo in Europa – nessuno lo aveva piú visto, almeno ufficialmente. E dicevano pure che nonostante gli abiti firmati fosse rimasto il killer di un tempo, quello col giubbotto di pelle e il maglione da pescatore.

Grazia si divincolò nell'auto per sfilarsi la camicetta, spalle e braccia che si contorcevano nella stoffa umida. La coda si era bloccata di nuovo e cosí, sotto il sole, le sembrava di scoppiare anche se la colpa, forse, non era tutta del caldo. Si sentiva dentro una smania che la faceva ballare sul sedile.

Perché, si chiedeva, *perché*. L'ultimo omicidio di mafia nella zona era di tre anni prima, un imprenditore originario del casertano incaprettato nel baule di un'auto dalle parti di Castelfranco Emilia, macchine per movimento terra, non si era messo abbastanza a posto con i casalesi, aveva detto un pentito. Da allora piú niente. Le famiglie si erano spartite cemento, supermercati e conti correnti tra Bologna e Modena, avevano lasciato il reggiano alla 'ndrangheta e filavano tutti d'amore e d'accordo.

E allora perché?

Incensurato, va bene, bravo ragazzo, sicuramente, fuori dal giro, ok, cosí fuori che neanche lei sapeva chi fosse e che vivesse a Bologna, Enzino Cardella, ma l'avevano ammazzato, e quando si ammazza cosí il nipote di uno come Carmelo Giannello non è mai per caso.

È la guerra, pensò Grazia, è la guerra.

Perché non l'hanno ammazzato e basta stava dicendo il dottor Carlisi quando Grazia aprí la porta della sala conferenze, senza bussare.

– Scusate il ritardo, – disse, – ci sono i lavori di quella minchia di Civis che... – ma si fermò subito. Credeva di trovare soltanto il dottore con Matera e Sarrina, al massimo qualcuno della sezione omicidi, e invece c'era un sacco di gente, e anche due carabinieri con gli alamari argentati sul bavero della giubba, due ufficiali. Uno, quello magro e affilato che la guardava con disappunto, lo conosceva, il colonnello De Zan, che comandava il reparto operativo. L'altro no, un capitano, con i capelli rossi, cortissimi, e un volto gentile, un po' da bambino. Le sorrise e Grazia gli restituí il sorriso, allacciando la camicia sulla canotta perché il colonnello continuava a guardarla come se fosse nuda, ma non con desiderio, con fastidio.

– L'ispettore superiore Negro, – disse Carlisi, senza presentarle gli altri, e continuò mentre Grazia andava a sedersi accanto a un commissario della omicidi. – Perché non l'hanno ammazzato e basta. Di piú, molto di piú. L'hanno... non so... trucidato. Non abbiamo ancora capito come.

Parlava a una donna, piccola e pienotta, con un paio di occhiali grandi tenuti al collo da una catena dorata. Grazia conosceva anche lei, il sostituto procuratore Deianna, della Direzione distrettuale antimafia.

C'era un ronzio alle loro spalle, era il videoproiettore acceso che illuminava lo schermo dietro il dottor Carlisi con un fascio di luce pallida che gli macchiava una manica della giacca. Il dottore se ne stava seduto sul bordo della scrivania, davanti a tutti, come un professore, e sembrava volesse tirarla in lungo per non andarsene da lí.

– Dottore, – disse la Deianna, inforcando gli occhiali, – prima o poi le dobbiamo vedere queste immagini della scientifica e quindi... non è che siamo tutti di primo pelo, ne abbiamo già viste tante di brutte cose, no?

Lanciò un'occhiata a De Zan, che scosse la testa con la stessa aria di compatimento che aveva riservato alla canottiera sudata di Grazia. Carlisi scese dalla scrivania e fece un cenno a Matera, che lasciò scorrere le dita sul trackpad di un portatile, incerto, come se cercasse qualcosa nel buio. L'ispettore Matera era vicino alla pensione e apparteneva ancora a quella generazione che con i computer non si prendeva, e infatti certe cose le facevano Grazia o l'ispettore Sarrina. Sarrina però si era alzato, aveva mormorato *scusate* e poi qualcosa come *gabinetto*, ma era uscito troppo in fretta e con la testa bassa, come se si vergognasse, e Grazia era troppo curiosa di vedere cosa l'avesse sconvolto tanto

da farlo scappare, uno come lui. Cosí non andò al posto di
Matera ma rimase lí, i gomiti sulla tavoletta mobile della
seggiolina da conferenze e lo sguardo fisso sullo schermo,
come a scuola, o al cinema.

Al primo *clic* Grazia spostò istintivamente la testa di lato
con uno scatto che le fece male al collo.

Per tutta la sala si era sparso un sospiro d'orrore che diventò un mugolio al secondo scatto. Un uomo che sedeva
vicino al sostituto procuratore Deianna soffocò un conato
di vomito sul dorso della mano aperta e si affrettò a uscire.
Gli altri cercavano di tenere gli occhi sullo schermo, per or-
goglio, ma si vedeva che facevano fatica, anche il colonnello, che appariva il piú impassibile ma era impallidito, cosí
bianco da sembrare morto.

Il capitano dal volto di bambino si girò verso Grazia come
per cercare il suo sguardo, con un'espressione cosí sgomenta
che le fece tenerezza.

– Cosa sono quelle cose bianche là? – chiese la Deianna
con un filo di voce.

– Denti. E anche quelli piantati nell'angolo del muro.
L'hanno… – Carlisi fece il gesto di spingere qualcosa, a
due mani. – Ma prima gli hanno strappato il naso e le orecchie e gli hanno slogato la mascella per strappargli anche
la lingua…

Clic, clic, clic.

– Basta, – disse il sostituto procuratore, – leggerò il referto dell'autopsia. Per favore, spegnete quel coso… toglietelo
di lí… per favore!

Matera batteva inutilmente sui tasti, i denti stretti attorno
al mozzicone di sigaro, e Carlisi si mise davanti al proietto-
re che gli sparse addosso il viso squarciato di Enzo Cardella
finché Grazia non spense tutto. Ansimava, anche lei come
Matera, e le sembrava di avere una mano nella pancia che

le strizzava lo stomaco, ma avrebbe voluto lo stesso tornare a guardare quelle foto. Lo avrebbero fatto dopo, quando
fossero rimasti soli, loro dell'ufficio.

De Zan si passò una mano sulla testa come per lisciarsi i
capelli, ma voleva solo asciugarsi quel sudore che gli si appiccicava freddo sulla fronte.

– Abbiamo tenuto il Cardella sotto sorveglianza per tanto
tempo, – disse, e anche lui parlava al sostituto procuratore.

– Noi non lo sapevamo, – disse Carlisi.

– Non ce n'era bisogno. Era un'indagine del nucleo investigativo dei carabinieri, e se ci fossero stati degli sviluppi
ne avremmo informato la dottoressa.

– E ce ne sono stati? – chiese Carlisi.

Il colonnello serrò le labbra. – No, – sibilò. – Pensavamo
che il Cardella potesse avere qualche contatto con lo zio. Il
capitano Pierluigi ha vissuto qualche mese nello stabile di
via Remorsella.

Era il carabiniere dal volto di bambino. Annuí con forza,
schiarendosi la voce come se prima avesse pianto.

– Sono rimasto fino alla data del suo compleanno. Non
credevamo che il padre sarebbe venuto proprio a trovarlo,
però magari gli avrebbe fatto avere qualcosa che ci avrebbe fornito qualche indizio. E invece niente, neanche gli
auguri. Solo una visita della madre, la sorella di Giannello Carmelo.

Aveva gli occhi ancora lucidi e Grazia pensò che davvero avesse pianto.

– Come fa a esserne sicuro? – chiese Carlisi.

– Perché Pierluigi è bravo e non trascura niente, – disse
il colonnello con durezza, e poi: – Dottoressa, noi qui non
intendiamo farci…

– Basta, basta, – il sostituto procuratore si era alzata
in piedi, gli occhiali che le ballavano sul petto, e anche co-

sí non era molto piú alta di quando era seduta. L'accento
sardo venne fuori a raddoppiarle le *b*, come le succedeva
quando cominciava ad arrabbiarsi.

– Vista la parentela della vittima, questo è un caso dell'antimafia –. Alzò una mano per bloccare De Zan, che aveva
aperto la bocca. – Colonnello, – due *l* anche all'inizio e la
e stretta. – Se questo omicidio non è avvenuto per caso, si
tratta di una dichiarazione di guerra peggio di Pearl Harbor
e non sappiamo neanche da parte di chi. Suggerisco collaborazione interforze e suggerisco anche un ufficiale di collegamento. Non voglio casini, cercate tutti la stessa cosa, anche
se per strade diverse –. Con due *v* e la *e* ancora piú stretta.
– Adesso mi dite dov'è la toilette, per favore? Devo recupe-
rare il mio assistente, se ha finito di vomitare.

Se.
Se Matera non avesse approfittato della Samsung dell'ufficio per farsi stampare le foto della nipotina scattate col cellulare, ci sarebbe stato ancora toner nella cartuccia e Grazia
non sarebbe dovuta scendere alla Digos per farsi stampare
quelle di Enzino, e cosí all'imboccatura delle scale di servizio che la riportavano al suo ufficio non avrebbe notato
D'Orrico che le faceva cenno di avvicinarsi, dal corridoio.

E se non si fosse avvicinata non avrebbe visto l'imbarazzo
rosso dell'ispettore (*solo un momento, Grazia, giuro, soltanto due parole*) e alle sue spalle, nell'ufficio vuoto, la signora
che la fissava, le labbra strette come le mani avvinghiate alla
borsa di Louis Vuitton.

Grazia la conosceva quella signora. Quella cotonatura
leonina come appena uscita dal parrucchiere, il trucco forte, tutta firmata, come adesso, l'aveva già vista una volta
e anche lei in fotografia, come il fratello, ma non una foto
segnaletica, era un gruppo in posa per un matrimonio, con

cerchi gialli di evidenziatore attorno alla testa di ognuno e una freccia che diceva chi erano. Lei era Anna Maria Giannello, la sorella di Giannello Carmelo.

La mamma di Enzino.

– Scusa, Grazia, scusa, non potevo dire di no, – mormorò D'Orrico, in fretta, mentre chiudeva la porta scivolando fuori, e Grazia capí che se anche ci fosse stato il toner nella stampante prima o poi l'avrebbero beccata lo stesso con un altro agguato.

Grazia riaprí la porta.

– Non può stare qui, – disse, – sia gentile...

– Voglio sapere chi è stato.

– Allora deve parlare con il magistrato o con il mio dirigente, non con me e non qui, sia gentile...

Non si era mossa. Grazia non l'aveva toccata, aveva appoggiato la cartellina con le stampe delle fotografie della scientifica su una scrivania, teneva il braccio allungato verso di lei, le dita che quasi sfioravano la camicetta di seta e l'altra mano sulla maniglia della porta, senza toccarla, va bene, ma con un gesto inequivocabile e deciso. Lei però non si era mossa, in piedi al centro dell'ufficio come avvitata al pavimento, altrettanto inequivocabile e decisa. Non era una sfida, era un dato di fatto, la fissava dritta negli occhi – l'aveva fatto fino dall'inizio – e Grazia capí che per mandarla via avrebbe dovuto toccarla, anche solo metterle una mano sul braccio, ma sarebbe stato violento come afferrarla per le spalle, e non si sentiva di farlo. Cosí mollò la maniglia, lasciando però la porta spalancata.

– Voglio sapere chi è stato.

– Stiamo indagando...

– Lei è terrona, come me.

– Io sono un poliziotto.

– Lei è terrona come me. Ha figli?

– No, – disse Grazia, ma non lo disse subito. Lasciò passare una frazione di secondo. La donna se ne accorse e sorrise anche lei, una frazione di secondo.

– Quando ne avrà capirà quello che sto provando. Sono una madre terrona a cui hanno ammazzato il figlio.

Grazia lanciò un'occhiata alla cartellina con le foto del massacro: tra i lembi di cartone color panna sporgeva soltanto un angolo di carta stampata. Lo rimise dentro con la punta di un dito, veloce.

– Lasci stare, – disse la donna, – le ho già viste.

Grazia alzò lo sguardo su quegli occhi che erano rimasti impassibili. Duri, freddi, c'era qualcosa dentro, qualcosa di crudele e di cattivo, di ferocemente violento, che non ne intaccava la decisione e li faceva sembrare cosí: impassibili.

Grazia si chiese se lei e i suoi colleghi non avessero sempre dato la caccia alla persona sbagliata. Se a dirigere gli affari di famiglia non fosse il Giannello Carmelo, latitante, ma la signora Giannello Anna Maria.

– Voglio sapere chi è stato.

– Signora, sia gentile. Non deve chiederlo a me, deve parlare con il dottor Carlisi, o meglio, con il sostituto procuratore Deianna, loro le sapranno…

– Sciocchezze. Lo so che quella che conta è lei.

Anna Maria Giannello, incensurata, mai un'intervista, mai una parola sul fratello, shopping, beneficenza e cene nei circoli del jet-set campano, anche la sua cadenza era quella aperta dell'alta borghesia e non quella chiusa dei camorristi. Ma vuoi vedere che si erano sempre sbagliati?

– In ogni caso, come le ho detto, stiamo ancora indagando…

– Lo so. Lo stiamo facendo anche noi.

Ecco, adesso non era piú un sospetto, ma una certezza. Glielo aveva detto. E come una comunicazione, un'informa-

zione di servizio, non una confessione. Il boss della famiglia
Giannello era lei.

– Se venisse fuori che è una storia che, diciamo cosí, ci
riguarda, allora va bene. Voi fate il vostro mestiere che noi
facciamo il nostro. Ma se dovesse essere qualcosa di, diciamo cosí, estraneo…

– Cioè non avete sospetti? Non ci sono questioni, interessi, scazzi con qualcuno che possano farvi pensare…

– Non ho detto questo…

– Solo in regione? Qui al Nord? O anche giú da voi, o
magari all'estero…

– Non ho detto questo! – Non aveva alzato la voce ma
era come se lo avesse fatto. – Anzi, non ho proprio detto
niente. Dimentichi che sono Anna Maria Giannello, sono
la madre di Enzino –. Una pausa, ma non di commozione,
tante altre cose, rabbia anche, ma non commozione. – Voglio solo sapere chi è stato.

Grazia sospirò. Allargò le braccia senza dire niente, perché sapeva che non ce n'era bisogno. Si strinse anche nelle
spalle, lei e la sua camicetta giallo pastello sulla canotta color
corda, i capelli stretti da un elastico in una codina corta sulla
nuca, davanti a quella donna alta, firmata anche nei gioielli,
la criniera gonfia e rossa come quella di un leone.

– Arrivederci, – disse Anna Maria Giannello, e uscí nel
corridoio, dove D'Orrico aspettava a distanza. Lei gli passò davanti e tirò dritto come se non esistesse neanche, e lui
esitò a correrle dietro, aspettando che Grazia comparisse
sulla porta.

– Non potevo dire di no, giuro… e poi non è un favore,
è piú una cortesia, no? No, Grazia?

Ma lei non gli rispose, agitò una mano dietro le spalle mentre si muoveva veloce verso le scale di servizio.

Gli avrebbe fatto rapporto, al collega, lo avrebbe denunciato, questo era sicuro, ma in quel momento aveva altro in
testa.

Pensava: *no.*

Per favore, no.

Sono diventato piú bravo.

Ho imparato anche a caricare i video e la prima cosa che salta agli occhi aprendo la pagina è quel ragazzo con i capelli a caschetto, scalati sulle guance, un primo piano dai colori pallidi e sgranati, e infatti è un filmato quasi amatoriale degli anni Settanta.

Le palpebre abbassate, le labbra socchiuse, sporte un po' in fuori, riempie tutta l'inquadratura tra gli ideogrammi che la incorniciano (perché quella è la versione giapponese di un documentario americano che ho trovato su YouTube).

Sembra immobile, anche se la pallina del cursore si muove lenta lungo la guida (passano i secondi), assorto in un pensiero che lo rapisce, e anche quella è un'immagine triste, come la fotografia del ragazzo che sta piú sotto, nel post precedente.

Sembra immobile ma non è vero, perché all'improvviso (0:22 secondi, dice il cursore) il ragazzo apre gli occhi.

Sta guardando da un'altra parte, ed è solo il bianco della cornea che appare tra le palpebre a far capire che le ha aperte. Ma poi si gira, prima solo gli occhi e dopo il volto, lentamente, e adesso quella non è piú un'immagine triste.

Adesso fa paura.

Ci ho messo tutta la notte a farlo. Ho scaricato un programma per convertire il video di YouTube in qualcosa che si potesse caricare sul blog e (miracolo) ha funzionato subito. Poi ho cercato un programma per tagliarlo ed è lí che ho perso tempo – quello non gira, quello si paga, quello è in tedesco e non si capisce qual è il download, vuole che ti registri, è solo per Mac – finché non ho trovato quello giusto.

Adesso la musica c'è, ho capito come collegarla al cursore che ora non è piú soltanto una gomma da cancellare che si mangia la barretta, muta. Parte dopo, in ritardo, quando il ragazzo ha già girato gli occhi e la testa una prima volta, perché sono anche riuscito a metterlo in loop, il video, in modo che quello sguardo si ripeta all'infinito, assorto e triste, e poi quell'occhiata che fa paura e parte la musica, un fruscio che sembra di pioggia e la voce di Roger Daltrey che grida («can you see the real me, can you?», *puoi vedere il vero me?*), poi il resto degli Who, la musica sotto e sopra quel ragazzo che continua a girarsi, con lo sguardo che fa paura.

Quando ho finito di caricare tutto, video e musica, l'ho avuto di nuovo quello smarrimento improvviso, l'aria che mi si apre davanti alla faccia come un vortice lento e io che scivolo in avanti verso la tastiera, il corpo morbido e senza piú forze, fino quasi a toccarla con la fronte.

(Maledetta musica).

Cosí è arrivato lui, ha messo le sue mani sulla tastiera e ha cominciato a battere forte, infilando parole in Times New Roman corpo 12 sotto le note, in corsivo, lettere bianche su sfondo nero.

Ha scritto:

arrivo arrivo arrivo adesso arrivo tranquilli che arrivo ci penso io a voi brutti stronzi maledetti che non capite un cazzo non avete mai capito un cazzo e mai lo capirete mai voi che ve ne approfittate pensando che tutto finisca ora e io per me adesso e degli altri chi se ne frega e invece c'è un domani che è anche mio ma voi ve lo rubate lo avvelenate lo seppellite me lo mangiate gente cenciosa dalle mani ladre che Dio vi maledica brutti pezzi di merda e maledette

*anche le puttane delle vostre madri io non dimentico no
tranquilli sí tranquilli perché adesso arrivo arrivo arrivo
stronzi* VI VENGO A PRENDERE UNO PER UNO VI VENGO A
PRENDERE TUTTI E VI MANGERÒ IL CUORE!

e lo ha scritto maiuscolo perché ha voglia di urlare, e infatti
lo urla, da solo, tanto nessuno lo sente, VI MANGERÒ IL CUO-
RE! VI MANGERÒ IL CUORE! VI MANGERÒ IL CUORE!, lo sguardo fisso sullo schermo, ad ansimare ringhiando tra i denti,
gocce di saliva schiumosa che gli scendono agli angoli delle
labbra, sulla tastiera, e se qualcuno potesse vederlo adesso
farebbe piú paura del ragazzo nel video.

Quando mi riprendo e torno in me lui se ne è già andato
e io sono troppo stanco per cancellare e rifare tutto.

Allora aggiungo: *c'è qualcuno che può aiutarmi là fuori?*

Poi sposto la freccia del mouse su *pubblica* e spedisco tutto nella rete.

http://www.diariodibordonumerouno.splinder.com/

Can you see the real me, mother? Mother?

Quando esce dall'auto di servizio Pierluigi si sente mancare il fiato e deve aggrapparsi alla portiera aperta, con ancora il berretto in mano. Fa un gesto all'appuntato che sta al volante e che si è allungato sul sedile per guardarlo dal finestrino – *sto bene, sto bene* – ma appena si stacca dalla maniglia eccolo di nuovo, il fiato in gola, bloccato a strangolarlo. Forse sarebbe caduto lí, in ginocchio sul marciapiede, se Grazia non l'avesse afferrato per un braccio.

– Ohè, capitano... che succede?

– Niente, niente –. Pierluigi fa un altro cenno all'appuntato che era anche uscito dall'auto, e cerca di tenersi dritto.

– Ora mi passa... è lo sbalzo dell'aria condizionata, – mette una mano sulla stoffa ancora ghiacciata della giubba nera, – e poi non sono riuscito a pranzare. Non volevo fare tardi.

Grazia lo prende sottobraccio e punta decisa verso uno dei bar che si aprono su piazza Roosevelt, ce n'è uno proprio accanto al portone della mobile. Dice: – Per non arrivare tardi non ho mangiato neppure io. Credevo che ci fosse anche quell'altro, il colonnello.

Pierluigi sorride. Vorrebbe staccarsi da Grazia perché si sente in imbarazzo, cosí a braccetto come un fidanzato, a pesarle addosso soprattutto, ma non è ancora a posto, e allora si irrigidisce un po' e piega il braccio, molto ufficiale e gentiluomo, quasi sia lui a guidarla invece di avere bisogno di appoggiarsi.

Pensa: aria condizionata, caldo tropicale, calo degli zuccheri, ma proprio adesso doveva farla questa figura, proprio con lei.

Nel bar fa per avvicinarsi al bancone ma lei lo tira verso i tavolini.

– Meglio sedersi, no? Finché non ha mangiato qualcosa.

– Ma sto bene, davvero…

– Panino, piadina o tramezzino?

– Tramezzino al tonno.

– Birra, acqua o Coca-Cola?

– Succo di frutta alla pesca. Ma ci vado io…

– No, no, stia lí.

– Per favore, non mi metta in imbarazzo, sono un ufficiale. E per giunta carabiniere.

È una battuta e la guarda, la fissa per cercarle un sorriso e per un momento stringe le labbra esitante e ostinato come un bambino, perché lo vuole, quel sorriso, e infatti arriva, bello aperto e contagioso.

– Va bene. Io chiedo e lei paga.

Pierluigi appende il berretto allo schienale della sedia e mentre la guarda sporgersi sul bancone per ordinare pensa che se non sapesse che è una pistola quel gonfiore che ha sul fianco, sotto la camicetta aperta, direbbe davvero che sia soltanto una ragazza del bar. E magari non l'avrebbe neanche notata, perché è carina, sí, e anche molto, minuta, rotonda ma snella, però per nulla appariscente… Poi lei si volta e lui gira la testa di scatto, perché sembrava proprio che le stesse guardando il sedere, ed era cosí, infatti, ma senza malizia. E quando lei arriva a sedersi al tavolino, una piega sottile tra le sopracciglia mediterranee e un accenno di sorriso incuriosito all'angolo del labbro, Pierluigi si rende conto del rossore che gli brucia la pelle. Allora tossicchia nel pugno chiuso e capisce che è peggio, perché quel sorriso d'angolo si allarga un po' di piú.

Grazia ha il cellulare in mano e sta digitando un numero.

– Dico ai colleghi che siamo qua. Cosí se vogliono si prendono un caffè pure loro.

La guarda scrivere, rapida e assorta, le dita piccole dalle unghie rotonde che si muovono sulla tastiera del BlackBerry. Piega le labbra da una parte per arrivare a mordicchiarsi l'interno della guancia e lui si chiede se dovrebbe dirglielo.

Pensa: *sí, adesso glielo dico, sí.*

– Perché mi guarda cosí, signor capitano? – dice Grazia, senza alzare gli occhi.

– Ispettore Negro, io vorrei dirle che… sí, insomma, io l'ammiro molto.

Grazia corruga la fronte, la piega sottile che si fa piú marcata fra le sopracciglia, e molla la guancia con uno schiocco quasi impercettibile.

– Cioè?

– Conosco il suo lavoro, lei è quella che ha preso l'Iguana e quell'altro serial killer, e il Pit Bull…

– Non era un serial killer, era…

– Un assassino professionista, sí, gliel'ho detto, conosco bene il suo lavoro. E so che se siamo ancora dietro a voi dell'antimafia nella cattura dei superlatitanti è soprattutto merito suo, e anche se poi sui giornali ci finiscono sempre i superiori, lasci che glielo dica: sono felice di lavorare con lei.

Ha parlato troppo in fretta e tutto d'un fiato. Rimane ad ansimare, cercandole un altro sorriso, che arriva, meno aperto, piú imbarazzato, ma sempre contagioso. Arriva anche un ragazzo con le ordinazioni, e allo stesso tempo arrivano Matera e Sarrina.

– Oh-oh. Interrompiamo qualcosa?

Grazia sibila *scemo* a Sarrina, mentre Pierluigi si affretta a sfilare lo scontrino – *prendete qualcosa, un caffè, anch'io, grazie* – e lo restituisce al ragazzo dentro una banconota da venti euro.

Si stringono le mani – *Pierluigi, ispettore capo Matera, Pierluigi, ispettore capo Sarrina* – e visto che lo guardano perplessi precisa: – Pierluigi è il cognome. Lo so, è strano, di nome farei Lorenzo ma mi chiamano tutti Pierluigi comunque. Pigi o Pier per gli amici.

Ora che ci sono i colleghi della polizia e non può piú osservare Grazia come prima, si scopre a pensare che quegli sguardi gli mancano e se ne chiede il motivo. Ma si riserva di capirlo piú avanti, perché quello con la scatola di toscanelli nella tasca della camicia di jeans ha messo una cartellina gialla davanti a Grazia, che sta cercando di sollevarne un angolo con la stessa mano con cui tiene mezza piadina e si fa scivolare un grumo di formaggio bianco lungo le dita.

Matera sfila un fazzoletto di carta e glielo porge.

– Che figura ci facciamo, bambina… davanti a un superiore, – ma lo ha detto con ironia e al posto di *un superiore* potrebbe esserci *un carabiniere*, tanto che Pierluigi sorride indulgente, stringendosi nelle spalle.

– Non si può mangiare una piadina con lo squacquerone senza sporcarsi –. Grazia finisce di pulirsi e torna a guardare sotto la cartellina, coperta dall'anta di cartone. – Non è per lei, capitano, mi nascondo per la gente. Ho fatto ingrandire qualche foto del cadavere e non è bello.

– Lo immagino. Quel foro, giusto?

Grazia alza la testa.

– Sí, l'ha notato anche lei?

– Che foro? – chiede Sarrina.

E Grazia: – L'avresti notato anche tu se non fossi scappato.

Sarrina: – Come minchia avrete fatto a notare qualcosa in quel casino…

Matera: – Sta' zitto e ascolta l'ispettore Negro.

– Sul petto, uno strappo nella maglietta. Pensavo che potevano avergli sparato con un piccolo calibro…

– E invece no, – dice Matera, – ho chiesto al medico legale, il foro non è passante e a Enzino sembra che l'hanno ammazzato con nient'altro che le mani. Sembra che l'hanno…

Strappato, dice Sarrina tra i denti, *strappato tutto*.

Pierluigi solleva la cartellina e ci lancia anche lui un'occhiata dentro.

– A me invece colpiva il fatto che portasse una maglietta con quel mezzo buco lí. Il Cardella era un fighetto, da centri sociali ma comunque un fighetto, con una madre che gli dava un sacco di soldi, e negli ultimi tempi si era anche innamorato. Gli sono stato addosso un mese e non l'ho mai visto uscire con niente che non fosse praticamente nuovo.

– Magari aveva un coso, un patacchino, un distintivo insomma, – dice Sarrina, – e gliel'hanno tirato via.

Grazia dà un altro morso alla piadina, e mentre si lecca il formaggio dall'angolo della bocca guarda ancora dentro la cartella.

– Non sembra uno strappo, sembra piú… sdrucito, sfilato… come con la punta di un coltello.

Pierluigi apre la cartellina, talmente preso da dimenticarsi della gente che sta ai tavolini attorno.

– Anche questa cosa della tortura. Noi diciamo che il ragazzo è stato torturato perché con una violenza cosí… E poi è una storia di mafia, va bene, ma voi dove la vedete la tortura? Intendo dire: il Cardella immobilizzato, magari legato, imbavagliato, professionisti che agiscono con freddezza, questa è tortura, e invece, – batte le dita sulle fotografie, – questa è un'esplosione di violenza, immediata e disorganizzata, è un massacro, non una tortura. Che c'è?

Grazia aveva avuto un sussulto ed era impallidita.

Dice: *niente, niente niente*, e intanto pensa: *no, per favore, no*.

Matera allunga una mano e chiude la cartella.

– Signor capitano, mi scusi, ma noi stiamo discutendo di lavoro al bar con lei mentre il nostro dirigente sta di sopra ad aspettarci e non mi sembra corretto.

– Per carità, ci mancherebbe. Andiamo subito.

Finge di contare il resto per restare seduto mentre gli altri se ne vanno, perché Grazia non si è ancora alzata, assorta in un pensiero che le approfondisce la ruga tra le sopracciglia. Ha ripreso a mordicchiarsi la guancia, spingendola in dentro con un dito per arrivarci meglio, e continua a farlo anche quando escono dal bar.

A cosa sta pensando, si chiede Pierluigi.

A cosa pensa.

Per tutto il tempo quando era al bar col capitano e gli altri, e poi nell'ufficio di Carlisi in riunione con tutti, e anche in macchina per tornare a casa da sola, Grazia aveva continuato a pensare *no*. E anche quando era impegnata a riflettere o ad ascoltare e pure a dire la sua, da qualche parte, in fondo al cervello, continuava a pensare *no*.

No, per favore, non un'altra volta.

Lo aveva fatto cosí intensamente che le faceva male l'interno della guancia e quando lo toccava le lasciava sulla punta della lingua il sapore dolciastro del sangue.

Un'esplosione di violenza, aveva detto il capitano.

No, per favore, no.

Grazia aprí la porta e urlò *sono a casa*, ma senza convinzione, se Simone ci fosse stato l'avrebbe già sentita dal rumore del motore o dello sportello che sbatteva, perché quello che spesso era soltanto un luogo comune per lui era vero. In mancanza della vista aveva sviluppato gli altri sensi e la avvertiva, la riconosceva, la sentiva, dal timbro del respiro, dalla velocità dei movimenti, dall'intensità dell'odore, capiva quello che pensava come se la fissasse negli occhi. Ma adesso non c'era.

Si tolse le scarpe senza slacciarle e con una ci riuscí subito, premendo con la punta di gomma sul tallone, ma l'altra era troppo dura per le dita nude cosí saltellò su una gamba finché non riuscí a strapparsela dal piede. Poi si sbottonò anche i jeans e li lasciò cadere a ciambella sulla scarpa (facile, perché non li portava troppo stretti).

Le venne in mente che a mollarli lí, davanti alla porta, finiva che Simone ci inciampava e quella era proprio una delle cose che li facevano litigare. Allora calciò tutto sotto il tavolo e, sentendosi già abbastanza premurosa cosí, puntò il telecomando sul condizionatore d'aria infisso al muro, sempre spento perché quel freddo sintetico a Simone non piaceva.

Grazia si stese sul divano, proprio sotto il soffio, e tirò su anche la camicetta, scoprendosi la pancia. La stretta sotto la pelle rabbrividita le ricordò una cosa.

La scatolina azzurra era in frigorifero, dietro lo sportello di plexiglas, tra il burro e le uova. La aprí mentre tornava sul divano, tirò verso di sé il tavolino agganciandolo con le dita di un piede e sparse tutto sul piano, restando a guardare. Le iniezioni le avevano sempre fatto paura. Il giorno prima ci aveva pensato Simone a farle quella nel sedere, cosí bravo e preciso che non aveva sentito quasi niente, ma adesso Simone non c'era.

Grazia prese la siringa, che sembrava una di quelle penne che dànno per pubblicità, bianca e rossa, con la scritta sopra. La dottoressa assieme alle istruzioni le aveva mandato un link per un video su YouTube che spiegava tutto, anche se in inglese. Cosí tolse il cappuccio alla penna, ne disinfettò la punta con una salvietta e ci infilò sopra l'altro cappuccio, quello con l'ago dentro. Lavarsi bene le mani, diceva il video, lei non l'aveva fatto ma era lo stesso. Girò la rotella graduata sul fondo della penna – 150 – e la tirò indietro come per caricarla – 150 anche lí – perfetto.

Grazia prese un'altra delle tre salviette in dotazione e si fermò. Era quello che le faceva piú paura quando era bambina, e anche adesso che non era piú proprio paura ma non ancora soltanto fastidio. L'odore dell'alcol, quello strisciare veloce che prima scaldava e poi ghiacciava la pelle, immobile e sospesa, ad aspettare l'urto dell'ago.

Aprí la confezione della salvietta strappandola con i denti, strinse un lembo della camicetta sotto il mento perché non le ricadesse sulla pancia e sfregò la salvietta tra il fianco e l'ombelico, appena un po' piú sotto. Prima che potesse ripensarci prese la penna bianca e rossa, tolse il cappuccio scoprendo l'ago e la tenne in alto, come una spada, ma intanto già la pelle si era raffreddata e il fastidio da adulto tornava a essere la paura da bambina, cosí pensò *ma vaffanculo*, si prese un pizzico di pelle, lo tenne sollevato e ci infilò dentro l'ago – *ahi!* – con troppa forza, per fare in fretta.

Giú il pulsante, fino in fondo. Piano, dieci secondi, il liquido che bruciava, entrando denso. Poi via, la penna sul tavolo, la schiena sul divano, la pancia sotto l'aria condizionata, a soffiare sulla pelle bucata. Dimenticato qualcosa? Ah, sí, disinfettarsi con l'ultima salvietta, vabbe', non importa.

Grazia coprí la puntura con un lembo della camicetta e ci mise sopra la mano aperta. Scivolò sui cuscini del divano per appoggiare i piedi sul bracciolo, sacrificando la nuca perché non era abbastanza alta da arrivare contemporaneamente alle due sponde. Fissò il soffitto, un dito teso sotto l'elastico delle mutandine, a giocare con i primi peli. Le tornarono in mente quelle due faccine identiche, rosse e contratte, che aveva sognato, i gemellini che piangevano, e per scacciare quel pensiero che la metteva in ansia ricominciò a pensare *no*.

Per favore, non un'altra volta.

Un'esplosione di violenza incontrollata, bestiale. L'aveva già vista una cosa del genere e per poco non ci aveva lasciato la pelle.

Quando lavorava ancora nell'unità di analisi dei crimini seriali aveva dato la caccia a un assassino, un pazzo, un serial killer che i giornali chiamavano l'Iguana. Aveva ucciso otto persone: sei studenti universitari, il suo capo all'Uacs e la madre di Simone, lei lo aveva conosciuto cosí, perché li aveva aiutati nelle indagini. E anche a lei, a Grazia, le aveva spaccato la testa e a momenti l'ammazzava. Ma Grazia lo aveva preso.

Poi era passata all'antimafia, squadra catturandi, e lí aveva dato la caccia a un altro assassino, un killer professionista che si faceva chiamare Pit Bull, perché quando azzannava un contratto non lo mollava piú. Un altro tipo che non c'era tutto con la testa neppure lui. Aveva ucciso diciotto, diciannove persone – non se lo ricordava piú – e avrebbe ammazzato anche lei se Grazia non lo avesse ucciso prima.

E prima ancora, prima di tutti, quando stava alla omicidi, c'era stato quell'ingegnere, il Lupo Mannaro – assurda mania di dare nomi cosí – che li aveva fregati tutti, aveva fatto impazzire il suo dirigente che era finito in pensione, ma lei lo aveva preso, lo aveva incastrato, anche se in un modo non molto ortodosso.

Ora stava alla sezione criminalità organizzata della squadra mobile e preferiva i mafiosi a quei mostri. Preferiva quella logica precisa da guardie e ladri, quel ragionare meschino e feroce, schifoso ma prevedibile, delle onorate società, le ipocrisie di regole che obbedivano comunque a un principio – fare soldi restando vivi – piuttosto che quelle esplosioni di violenza che venivano da qualche parte, dentro, e che magari ce l'avevano una spiegazione, ma bisognava trovarla. Bisognava capirla. Ma lei non voleva capirla quella gente, voleva prenderla.

Prendilo, bambina, le diceva Vittorio, all'Uacs, prima che l'Iguana lo facesse a pezzi, e glielo diceva anche Carlisi, *sei una cacciatrice di uomini*, con Sarrina che rideva, *cacciatrice, non mangiatrice, imbecille.*

Ecco, le fotografie di Enzino Cardella le avevano ricordato le vittime dell'Iguana. *Non uno cosí*, pensò Grazia, *non un altro cosí, per favore.*

Ma tutto quello che si erano detti alla riunione – rivalità tra casalesi per il controllo del parmense (possibile), concorrenza con la 'ndrangheta del reggiano (difficile), il ritorno di cosa nostra in Emilia (difficile), i russi che dalla Romagna si spostano al Nord (improbabile), i cinesi che entrano nel settore immobiliare (altamente improbabile) – non le aveva dato lo stesso brivido di quando aveva visto le fotografie.

Però Grazia non era una da brividi, a lei piacevano le cose concrete, ed Enzino era figlio di un mafioso, e lo avevano ammazzato, e quindi, nonostante l'incontro con la leonessa cotonata, quella era – doveva essere – una cosa di mafia, mafia, mafia, vendetta trasversale, omicidio esemplare, *casus belli*, era mafia, mafia, mafia...

– Sei qui.

Grazia trasalí. Simone si era affacciato al corrimano delle scale che portavano di sopra, il volto nella sua direzione, come se la stesse guardando.

– Credevo che non fossi in casa. Non mi hai sentita?

– Ero di sopra, con le cuffie. Ti ho sentita adesso.

Grazia tirò indietro le gambe per fare posto a Simone sul divano. Ormai non si stupiva piú della facilità con cui si muoveva dritto per casa, senza sbattere in niente, mentre lei continuava a prendere fiancate contro gli spigoli e calci di punta quando girava scalza. Lo vide rabbrividire per l'aria condizionata e poi arricciare il naso.

– Hai fatto la puntura.

– Sí, la prima.

– L'hai fatta da sola.

– Simò, credevo che non ci fossi. Ho strillato *sono a casa* e non m'hai risposto.

Simone annuí, la bocca stretta sotto i baffi troppo lunghi che gli arrivavano fin sopra le labbra. Si era fatto crescere la barba, che si radeva e tagliava da solo, seguendola con la punta delle dita, ma da un po' di tempo non lo faceva piú. Anche i capelli erano tornati selvaggi come quando l'aveva conosciuto, appena tirati indietro giusto per scoprirsi la fronte. Teneva la testa alta, fissa in avanti, l'occhio socchiuso che dava al suo volto un taglio asimmetrico, quasi storto.

– Hai preso l'ora? Devi farla sempre alla stessa ora...

– Sí.

No, non era vero. Ma non portava l'orologio e adesso non poteva prendere il cellulare per guardare l'orario perché Simone se ne sarebbe accorto. Anche se probabilmente lo aveva già capito.

– Hai acceso l'aria condizionata.

– Faceva caldo.

– Poi però la spegni. Perché chissà dove mi hai messo il telecomando e io non lo trovo piú.

Grazia si massaggiò la pancia. Le faceva male, sotto la pelle. Allungò le gambe su quelle di Simone, che non si mosse, e allora alzò un piede e glielo appoggiò alla spalla, spingendolo piano, come per scuoterlo.

– Simò, che ti è successo?

– Oggi? Niente...

– No, oggi... che t'è successo da un pezzo.

– Cosa ci è successo a tutti e due.

– No, Simò, io sono sempre la stessa. Lavoro, corro di qua e di là, metto in galera le persone, torno a casa, mangio, parlo, tutto uguale. Te, invece...

– Io, invece?

– Te invece non parli piú, non ci sei, non mi guardi nemmeno...

– Io non ti *guardo*?

Era un sorriso acido che a Grazia dette fastidio. Spinse Simone col piede, piú forte, quasi un calcio.

– Quello che fai, Simò! Prima, quando mi parlavi, stavi con la faccia verso di me, adesso, invece, mi dài l'orecchio, come ora.

Simone annuí. Si voltò verso Grazia, esattamente su di lei, ma non disse niente. Grazia sospirò, massaggiandosi la pancia.

– Simone, quando t'ho conosciuto io stavi tutto il giorno chiuso in soffitta ad ascoltare la musica in cuffia. Tutto il giorno, da solo. Mo' hai ricominciato a fare lo stesso.

– Almeno non ascolto piú la stessa canzone.

Vabbe', pensò Grazia, e si tirò su dal divano. Andò a prendere i jeans che aveva spinto sotto il tavolo e guardò l'ora sul cellulare che aveva lasciato in tasca.

– Grazia…

Simone aveva mormorato e lei lo guardò, immobile sul divano, sotto il soffio dell'aria condizionata che odiava. Ci aveva messo qualcosa, nel suo nome, qualcosa che lei aveva riconosciuto, quella fragilità che gli vibrava nella voce quando la chiamava le volte che aveva davvero bisogno di lei. Era quella sensibilità ferita che l'aveva fatta innamorare, e non voleva che se ne andasse, cosí gli rispose con tutta la dolcezza di cui era capace.

– Che c'è, Simò?

– Scusami.

Grazia lasciò cadere i jeans e andò da lui, a prendergli la testa e ad abbracciargliela contro la pancia nuda, la barba ispida che le grattava dove aveva fatto l'iniezione.

– La prossima me la fai tu, – gli disse, e chiuse gli occhi perché si sentiva stanca e non aveva nessuna voglia di pensare a faccine incazzate di bimbi, compagni depressi, ovuli, ormoni, guerre di mafia, morti ammazzati male e serial killer.

Ecco, meno che meno a quelli.

I mostri.

No, per favore, non un'altra volta.

Ecco qua, questo è il portoncino, l'appartamentino è subito qui, il primo a destra nell'androncino. Campanello, spioncino, porta blindata, serratura di sicurezza, perché qua il quartiere è buono, mica come certe zone di Bologna che guardi bene non si esce piú, di notte c'è il coprifuoco, con tutti questi romeni in giro, e poi gli zingari, stia buono, non mi faccia parlare, com'è diventata questa città, guardi, io non lo so.

Accende la luce. A occhio e croce saranno quindici metri quadrati. Finestra sulla parete in fondo, blocco di cartongesso a sinistra (1,20×2). Angolo cottura: cucina (2 fuochi + grill), pensile con cappa aspirante, tavolo a penisola (rientrante), due sedie, frigorifero (90 lt). Zona giorno/notte: divano letto (2 posti, 1 piazza e ½), armadio (1 anta), tavolino, sgabello, mobiletto Tv (16 pollici).

Oltre la parete, attutita ma non tanto, ovattata, una radio che suona.

La mia città, senza pietà, la mia città | ma come è dolce certe sere | a volte no, senza pietà.

Non è un amore? È piccolina ma c'è tutto, e poi oddio, piccolina, non è mica poi cosí piccola, se ha bisogno di spazio, non so, per la cyclette, tira dentro la penisola ed ecco fatto. Guardi bene, l'unica cosa che manca, lo so, è il lavandino della cucina, ma c'è quello del bagno che è grande, due piatti si possono lavare lí, perché mi immagino, uno che lavora, un uomo soprattutto, e giovane come lei, giusto la sera si fa qualcosa, no?

Anche te... | *che anche se lecchi il gelato* | *hai lo sguardo incazzato.*

Ha cercato di coprire la musica con la voce, ma ogni tanto deve riprendere fiato. Evita di guardare quella parete, come se puntare lo sguardo da un'altra parte allontanasse il battito della cassa, il vibrare del basso e anche quella voce che canta, dietro il muro, non cosí forte ma abbastanza da udire tutte le parole.

Ma guarda che civiltà la mia città | *con mille sbarre alle finestre* | *guardie giurate, porte blindate* | *e un miliardo di antifurti* | *che stanno sempre a suonare.*

Sí, è vero, si sente un po' forte ma basta dirglielo, è tutta gente educata qui, tutti professionisti, dunque c'è un avvocato, una dottoressa e poi chi c'è, c'è una coppia ma son sempre fuori, studenti ce n'è uno ma bravo, buona famiglia, guardi bene, mica quei pugliesi che fanno sempre le feste, lui lí studia.

Senza pietà, la mia città | *«signora guardi che belle case* | *però a lei no, non gliela dò* | *mi dispiace signora mia* | *è tutto uso foresteria».*

Lei sobbalza perché c'è il rumore di uno sciacquone, da qualche parte. Poi il vibrare metallico dei tubi nel muro, come un terremoto senza scosse. Ma io non lo sento nemmeno. Sto pensando a quella canzone, Luca Carboni, qualche anno fa, la conosco. Ma non è quello, è una frase, un verso. Lo aspetto ma non c'è ancora, forse è già passato.

La mia città, senza pietà, una città | *ti dice che non è vero* | *che non c'è piú la povertà* | *perché è tutta coperta* | *dalla pubblicità.*

Sta bene? È diventato cosí pallido...

C'è chi a lavorare | *è obbligato a imbrogliare.*

Eh, ben ben, è tutto sudato... sarà mica un calo degli zuccheri?

E c'è... | chi per poterti fregare | ha imparato a studiare.

Si vada ben a bagnare la faccia, ché poi magari sta meglio.

Dentro il bagno, dietro la porta scorrevole: water, bidet, piatto doccia (con tenda), lavandino, pensile (con specchio). Apro l'acqua e mi sciacquo la faccia tenendoci sopra le mani bagnate. Non voglio toglierle. Ho paura di alzare la testa. Ho paura di guardarmi allo specchio.

E c'è... | bisogno di piú amore | dentro a questa prigione.

Eccolo il vuoto davanti alla faccia. Alla parola *amore*, lo sapevo, gridata cosí di gola, la *a* aperta e la *r* che raschia, amore, amore, amore. Scivolo giú dentro il lavandino, liquido come l'acqua che scorre dal rubinetto, e non sento piú niente, un'altra canzone dietro la parete, un televisore dietro un'altra, ancora lo sciacquone, il vibrare dei tubi, il grattare di un mobile sopra la testa, e lei che parla dietro le pieghe di plastica della porta.

Guardi bene, perché è lei, che ci tengo tanto perché ho una gran stima di voi, guardi bene, glielo metto a poco, meglio di quell'altro dove sta adesso. Sarebbe duemila al mese, facciamo millecinque. Se ha bisogno del contratto che lo scarica, va bene, se no risparmiamo tutti e due e facciamo milletre. Ma cos'ha lí dentro, un cane?

Allunga una mano verso la porta del bagno ma quella salta via dalle guide e vola come una tenda. Lei ha solo il tempo di aprire la bocca prima che lui si abbassi scoprendo lo specchio alle sue spalle, e cosí l'ultima immagine che la donna ha di sé stessa è a bocca spalancata, il neo alla Zanicchi che si è alzato sul labbro fin quasi dentro il naso, gli occhi talmente sbarrati che il rimmel delle ciglia sembra stampato sulle orbite, e quella mano dritta, le unghie lunghe puntate sullo specchio, il turchese al dito e i braccialetti che tintinnano ancora.

– *Grazia?*
– *Gesú, Matè… ma hai visto che ore sono?*
– *Devi venire subito… ce n'è un altro.*

C'era un sacco di gente nell'androne, troppa. Grazia mostrò il tesserino al carabiniere che stava all'ingresso della palazzina, poi si guardò attorno per cercare l'ascensore, ma non c'era. Alzò la testa verso la tromba delle scale e vide che erano solo due piani, anche se le cassettine della posta allineate lungo il muro accanto al portone erano almeno una dozzina.

– Ispettore Negro!

Pierluigi era sulle scale e a Grazia ci volle un po' per riconoscerlo tra la gente, senza uniforme, una polo azzurra che lo faceva sembrare ancora piú giovane, piú bambino.

– Succede a chi porta sempre la divisa, senza sembriamo diversi.

– Cosí sta meglio, è piú carino, – disse Grazia, e Pierluigi arrossí, la pelle del volto che gli diventava dello stesso colore dei capelli.

Grazia non se ne accorse. Sulla soglia dell'appartamento c'era un altro carabiniere che cercava di coprire l'ingresso con le spalle, per fare schermo allo sguardo dei curiosi che affollavano anche il pianerottolo. Sembravano tutti appena tirati giú dal letto, come per un terremoto, e c'era anche una ragazza scalza che si sollevava sulle punte per guardare oltre il carabiniere.

– Ma che ci fa tutta 'sta gente?

– Ci abita. Guardi un po' qua.

Pierluigi si fece da parte per far entrare Grazia e intanto diceva *Gasparotto, cortesemente, facciamo un po' di largo qua.* Sembrava l'ingresso di un appartamento, ma sul corridoio si affacciavano cinque porte blindate, ognuna col campanello.

– Visto che roba? Sarebbero cinque vani di un'abitazione, ma cosí chiusi, col bagnetto e una cucina si trasformano in cinque monolocali. Cosí un pianerottolo diventa un condominio. Al piano di sopra è lo stesso.

– Non credo sia legale.

– Certo che no. Fra l'altro c'è l'allacciamento alla fogna di un bagno normale, mica cinque… qui prima o poi gli scoppiavano i gabinetti.

– Magari alla fine denunciamo anche il proprietario.

– Magari, ma non si può.

– E perché?

Pierluigi aprí la porta socchiusa del primo monolocale a destra e di nuovo Grazia ebbe quello scatto di lato che le fece male al collo. Una cosa istintiva, perché riportò subito lo sguardo sul corpo nella stanza.

– Cazzo, capitano, – mormorò, – lei ha lo stesso umorismo malato dei miei colleghi.

Pierluigi arrossí di nuovo. Era sinceramente dispiaciuto, e anche imbarazzato, perché non voleva fare una battuta anzi, e avrebbe voluto dirglielo, ma Grazia non ci pensava già piú.

– La testa dov'è? – chiese.

– Al suo posto, – disse Matera, – ma in effetti non si capisce. Deve averla colpita con il televisore, – e indicò un sedici pollici mezzo sfondato, tutto schiacciato da una parte.

– Avrà fatto un gran casino. Qualcuno ha visto qualcosa?

Pierluigi scuoteva la testa: – No, questi qui sono tutti professionisti, tornano alla stessa ora e spostano mobili, accendono la Tv, fanno tutti un gran baccano finché non vanno a dormire. Solo quello dell'appartamento… cioè, della

stanza di fianco ha sentito una specie di urlo verso le otto,
poi un po' di botte, ma credeva che piantassero un chiodo
e non ci ha fatto caso.

– Ha chiamato uno che passava da fuori, – disse Matera,
e indicò col sigaro la finestra sulla parete, cosí schizzata di
sangue che sembrava avesse una tenda rossiccia. Grazia notò che il suo toscano era poco piú di un mozzicone, per cui o
Matera andava a letto con il sigaro o se ne era mangiato piú
della metà. Poi si scosse, perché lo sapeva che stava pensando a sciocchezze e dettagli inutili per evitare una domanda
che non voleva fare. Ma erano le due di notte, anche lei era
saltata giú dal letto come per il terremoto e non aveva voglia
di perdere altro tempo.

– Come fate a dire che c'entra qualcosa con l'altro delitto? Solo per la violenza?

– No. Per quello.

L'aveva vista anche lei, appena entrata, ma voleva che
fosse qualcun altro a dirlo e lo disse Pierluigi. Gliela indicò,
anche, una scucitura, uno strappo, che adesso era ancora di
piú, era quasi un foro tra le paillette della maglietta della
donna, sopra la *a* di *tropical*. I fili bianchi di cotone si aprivano spettinati e contorti, alzandosi come dita sulla stoffa
stropicciata.

Grazia si inginocchiò per osservare da vicino e Pierluigi
la raggiunse.

– Prima non volevo fare dell'umorismo, – disse. – Conosco la signora qui perché l'avevamo già denunciata, ma per
altri appartamenti, certe schifezze affittate in nero ai clandestini, senza neanche le condizioni minime per l'abitabi-
lità. Sapevo che la padrona era lei e per questo ho detto…

– Cos'è 'sta roba?

C'era un alone attorno allo strappo. Grazia lo aveva visto luccicare al flash di un operatore della scientifica, che

nel frattempo era arrivato con Sarrina che aveva mormorato *merda, non mi ci abituerò mai*.

Grazia gli fece cenno di stare zitto, con la mano, anche se non c'era niente da ascoltare. Si chinò su quello strano alone lucido che brillava, bianchiccio, e avrebbe voluto toccarlo con un dito, ma si trattenne. Poi, all'improvviso, tutto quell'odore di morte e di sangue concentrato in quel posto cosí piccolo le diventò insopportabile e uscí nel corridoio, come se non ci fosse piú aria.

– Andiamo fuori? Non mi sento molto bene.

Fuori era quasi piazza Santo Stefano, cosí Grazia arrivò fino in fondo al portico, girò dietro l'angolo e si sedette sulla balaustra di pietra che chiudeva una campata.

– Tra poco arriva il magistrato, – disse Pierluigi.

Matera tirò il mozzicone di sigaro sul ciottolato della piazza.

– Tranquillo, capitano, lo vedo io da qui.

Tre studenti giocavano a frisbee dall'altro lato della chiesa che chiudeva l'ovale della piazza. Uno era a torso nudo e non riusciva mai a prendere il piatto di plastica che finiva sempre a strisciare lontano, sui sassi a sbalzo, con un rumore ottuso. L'aria, immobile e umida, non sembrava quella delle due di notte, neanche a Bologna, neanche a fine estate.

Grazia si massaggiò la pancia sotto la maglietta. Le pareva di avere un bozzo duro come la puntura di un'ape ma non era vero, solo la pelle era piú sensibile.

– Se i due omicidi sono collegati dobbiamo trovare qualcosa che leghi Enzino, e cioè la famiglia Cardella, con questa... come si chiamava?

Pierluigi si strinse nelle spalle.

– Non me lo ricordo. Dico all'appuntato di portarci i documenti...

Aveva già tirato fuori il cellulare ma Grazia lo fermò con un gesto, senza neanche guardarlo. Il capitano rimise subito il telefonino in tasca, mentre Matera sorrideva, scartando un altro toscano, a vedere quella ragazzina che dava ordini a un carabiniere, e per giunta ufficiale.

– Se questa è una guerra di mafia, – disse Pierluigi, – è parecchio strana. Non è che la signora fosse un killer o un boss, come non lo era Enzino.

– Magari sono vendette trasversali.

– Ma trasversali parecchio, però. E poi per cosa? I casalesi vogliono entrare nel racket degli affitti in nero? In quello ci sono già i bolognesi, e da quasi un migliaio di anni.

Il frisbee rimbalzò sulla balaustra, appena sotto il sedere di Grazia, e tornò indietro. Il ragazzo a torso nudo corse a prenderlo.

– Studenti del cazzo, – ringhiò Sarrina, – vedrai quanto studiano domani.

– E poi quello strappo sui vestiti, all'altezza del cuore. Vorrà dire qualcosa, no? E tutta quella violenza, l'avete vista. Qui sembra ancora piú incontrollata, ancora piú spontanea, altro che tortura, altro che esecuzione.

I ragazzi avevano smesso di giocare perché era arrivata un'auto dei vigili urbani. Quello senza maglia se la stava rimettendo, mentre gli altri due si erano allontanati col frisbee.

Grazia saltò giú dalla balaustra. Non riusciva a stare ferma e si sentiva unta da un sudore appiccicoso.

– Aspettiamo i risultati delle perizie.

– Va bene, aspettiamoli. Però vedrete che domani avremo una gran brutta sorpresa. Che c'è, il magistrato?

Pierluigi aveva visto Matera voltarsi verso il fondo del portico. C'era un uomo fermo davanti al portone della palazzina, illuminato a tratti dalla luce blu del lampeggiante di un'auto dei carabinieri, come in un film.

– No, credo sia il suo superiore.

– Pierluigi! Può venire un attimo qui, per favore?

Scusatemi, disse il capitano, e girò veloce dietro l'angolo.

– Comandi! – mormorò Sarrina, battendo i tacchi.

– Voglio vedere te quando ti chiama Carlisi, – disse Grazia, e Matera rise. Poi si accorse che l'auto dei vigili aveva attraversato la piazza e si era fermata alle loro spalle, e i vigili erano scesi dalla macchina e si stavano avvicinando, e la vigilessa aveva anche detto *scusate, signori, non vi sembra un po' tardi*, e allora Matera tirò fuori il tesserino e ringhiando dietro il sigaro gli andò incontro.

Quando il colonnello De Zan lo aveva chiamato davanti al portone della palazzina era per fargli un cazziatone.

Va bene che le indagini le conduceva la mobile, ma la chiamata per quell'omicidio l'aveva presa il 112 dei carabinieri, e allora perché c'era la scientifica della polizia al posto dei Ris?

Ecco perché Pierluigi si trova a Parma quella mattina. Dopo aver cacciato via gli operatori della scientifica che si erano allontanati bestemmiando, aveva aspettato i tecnici dei carabinieri, stretto la mano guantata a un colonnello che lo aveva gentilmente spinto fuori dall'appartamento e atteso pazientemente sul pianerottolo. Si era anche addormentato con la testa appoggiata contro il muro finché il colonnello dei Ris non lo aveva svegliato picchiettandogli un braccio con un dito di pelle.

Poteva tornarsene a casa a dormire un po' prima di riprendere servizio, ma sapeva che non ci sarebbe riuscito e che sarebbe rimasto un paio d'ore a fissare il soffitto. Cosí aveva fatto quello che faceva sempre per svegliarsi quando non poteva dormire, si era fermato nel primo bar aperto e aveva fatto colazione. Poi era andato a casa – che non era proprio una casa ma un alloggio visto che viveva in caserma – per una lunghissima doccia. Alla fine era rimasto a guardare l'uniforme appesa all'indossatore – i calzoni piegati in due sulla stanga orizzontale e la giacca sulla gruc-

cia, la cravatta sopra, di traverso – asciugandosi i capelli
col cappuccio dell'accappatoio di spugna, poi aveva aperto
l'armadio e preso un'altra polo.

Nel guardarsi allo specchio si era accorto che era arrossito
ancora, e sapeva anche perché.

Cosí sta meglio, è piú carino.

Ma se l'era tolta, evitando di pensare ad altro, aveva preso
una camicia bianca pulita, si era fatto il nodo alla cravatta,
cosí, in mutande e calzini, poi aveva aggiunto i pantaloni e
la giacca della divisa. Mentre calzava le scarpe aveva lanciato un'altra occhiata allo specchio dell'armadio e aveva visto
che ancora non aveva smesso di arrossire.

Arriva a Parma in fretta, nonostante l'autostrada abbia
cominciato a svegliarsi, perché anche se ha preso la sua auto
invece di quella di servizio guida veloce e in città conosce
bene la strada fino a Palazzo Ducale, la sede dei Ris. Si fa
riconoscere dal sottufficiale al cancello, parcheggia in un rettangolo giallo marcato CC e prende l'ascensore fino al piano
dei laboratori. Dove apprende che il materiale repertato sul
luogo del delitto è già arrivato ed è pronto, ma il maresciallo Strano, quella mattina, ha preso un permesso di due ore
e non arriva prima delle dieci.

Due ore.

Non ha senso andare fino a Bologna e tornare, e non vuole starsene chiuso lí dentro a bere il caffè della macchinetta
e neanche quello del bar, non che non sia buono, per carità,
però ha voglia di muoversi, di pensare, ma non da fermo,
in movimento.

E poi c'è un'altra cosa. Una strana sensazione che gli
entra dentro a ogni respiro e gli sale fino in testa, leggera
e fresca, a frizzargli nel cervello. Gli succedeva, certe mattine di primavera, molto presto, ma l'aria già calda non è
quella di primavera e non è neanche piú cosí presto.

Eppure si sente cosí, la testa che gli galleggia sul collo attaccata a un filo come un palloncino, e questo vento – no, non cosí forte –, questa brezza che gli gira dentro, da qualche parte tra lo stomaco e il cuore. Gli succedeva quando aspettava qualcosa, il risultato di un'indagine che confermasse una sua intuizione, come adesso, ma non è quello, non è eccitazione, non soltanto.

È un'altra cosa.

Cosí esce dall'edificio, esce dal complesso del Reparto investigazioni scientifiche e se ne va in giro per il parco.

Lui ci è nato in quella città. Ci era rimasto poco, soltanto fino a sei anni, perché come molti carabinieri era figlio di carabiniere, suo padre da Parma era stato trasferito lontano, in Calabria, e si era portato dietro la famiglia.

Però se lo ricorda di quando camminavano per i vialetti bianchi dei giardini di Maria Luigia, sua madre, lui e suo fratello, la domenica mattina, lui per mano e suo fratello nel passeggino, perché era sempre malato.

Si ricorda che una volta aveva fatto un capriccio perché quello stava in carrozza – la chiamava cosí – e lui no, e allora sua madre gli aveva preso una di quelle macchine con i pedali che affittavano al parco, uno châssis di ferro scrostato che una volta doveva essere stato giallo e che si mandava avanti premendo con tutti e due i piedi su una sbarra. Solo una volta, però, perché lui aveva cominciato ad andare velocissimo, spingendo forte con le gambe, mentre lei gli correva dietro col passeggino, *fermati, fermati, vè!*

Si ricorda le violette che aveva strappato dai cespugli lungo la riva del laghetto per portarle all'asilo per un collage che stavano facendo con la signorina, ma le aveva tenute strette in mano, prima, e poi in tasca, e quando era arrivato erano solo una sfoglia umida, che si appiccicava alle dita.

Si ricorda un'Apecar del comune che aveva fatto una curva troppo stretta e si era rovesciata su un fianco con un gran botto che gli aveva fatto paura, si ricorda di un bambino che lo aveva superato di corsa, in bicicletta, facendogli volare il berretto dalla testa con una manata, si ricorda di un gelato che gli era caduto mentre cercava di sedersi su una panchina, si ricorda della Coca-Cola alla baracchina di lamiera che gli faceva venire il singhiozzo, si ricorda delle anatre, che adesso non vede piú.

Ma ci sono davvero le anatre, c'erano mai state? Se le ricorda davvero tutte quelle cose o erano soltanto i racconti dei grandi che lui aveva riempito di immagini e di sensazioni perché era troppo piccolo quando erano accadute?

Come sempre quando ricorda il passato, soprattutto la sua infanzia e soprattutto dopo, quando aveva lasciato Parma, gli viene un po' di malinconia. Ma adesso non è cosí forte, meno del solito perché c'è quella strana sensazione frizzante, e a confrontarla con quella umida e pesante dei ricordi – lei invece cosí fresca e leggera – capisce cos'è e la riconosce, anche se non sa da dove venga.

È felicità.

Poi lo sguardo gli cade sull'orologio, e siccome si sono già fatte le nove e tre quarti torna indietro e si sforza di pensare al maresciallo e a tutto quello che gli avrebbe chiesto. Delle anatre si dimentica subito, e se anche ci fossero ancora mentre cammina veloce per i vialetti bianchi tra i cespugli di violette, non se ne accorgerebbe.

Quella strana felicità, invece, resta.

Se non si trattenesse invece di camminare dritto e spedito si metterebbe a saltare.

Quando arriva al laboratorio il maresciallo Strano lo sta già aspettando appollaiato su uno sgabello davanti al bancone con i reperti, perché è piccolo, il maresciallo, quasi un nano, tarchiato e rotondo nel suo camice bianco. Sa cosa interessa al capitano perché glielo aveva detto il colonnello con i guanti, cosí se ne infila anche lui un paio – in lattice, trasparenti – e tira fuori da un sacchetto la maglietta con le paillette che indossava la donna degli appartamenti.

La guarda in controluce, la stende sul bancone, si avvicina tanto allo strappo che sembra voglia annusarlo. Poi prende un tampone di ovatta da un barattolo chiuso e lo fa rotolare sulla stoffa lacerata, tenendolo sollevato come una forchetta.

Pierluigi lo guarda saltare giú dallo sgabello e muoversi veloce sui suoi passi corti fino al bancone con i microscopi. Deve essersi fatto un camice su misura, altrimenti striscerebbe per terra, e per un attimo Pierluigi si chiede come abbiano fatto a prenderlo nell'arma, dati i limiti di altezza, ma lo immagina, il maresciallo è un genio.

Lo segue al bancone, vorrebbe aiutarlo a salire sull'altro sgabello ma si trattiene. Quella strana sensazione di felicità si è allontanata, volata via con le anatre, anche se ancora visibile, lontano, all'orizzonte. Perché il capitano Pierluigi è un carabiniere, e il suo lavoro gli piace e lo appassiona, ma non solo, Pierluigi è Pierluigi, e quando è a caccia anche a lui, come a Grazia, manca il respiro.

Il maresciallo sfrega il tampone su un vetrino, lo sistema sotto il microscopio e lancia uno sguardo di intesa a Pierluigi, come per dirgli che è soltanto una formalità, inutile, tanto ha già capito.

E infatti appoggia appena l'orbita sull'oculare, regola con un tocco la ghiera dell'obiettivo, sorride ancora, solleva la testa, annuisce e dice *avevo già capito*.

Vibrazione corta, solo una: Sms.

SIMONE.

Ricordati l'iniezione. Ti aspetto.

C'era ancora abbastanza tempo. Grazia pensò che poteva prendersela comoda, finire di leggere i brogliacci delle intercettazioni e fare un salto a casa per farsi fare la puntura nella pancia. Oppure no, mollare tutto subito e arrivare prima, cosí Simone vedeva la buona volontà ed era contento.

Poi Sarrina si affacciò sulla porta.

– Carlisi ci vuole tutti nel suo ufficio. C'è pure il magistrato con i carabinieri.

Anche il sostituto procuratore Deianna aveva una maglietta con un ricamo di paillette come la donna degli appartamenti, ma non era una scritta, era un cuore, un grosso cuore sfumato dal viola al rosso, che il seno spingeva fuori tra le falde della giacchetta di un tailleur. Cercò di accavallare le gambe ma la gonna le scoppiava attorno alle cosce e cosí rinunciò.

– Non ho capito, – disse.

Pierluigi aprí la bocca per parlare, poi guardò il colonnello che se ne stava appoggiato allo stipite di una finestra, le braccia conserte strette sulla divisa nera.

– Prego, – disse De Zan.

– Saliva, – disse Pierluigi.

Lanciò uno sguardo a Grazia e trattenne un sorriso. Il rossore che aveva sul volto adesso non era imbarazzo ma eccitazione. Era quella smania felice, che lo faceva ansimare. Lo aveva detto a lei, e sorrise ancora vedendo quella ruga che le tornava tra le sopracciglia.

– Saliva? – chiese il sostituto procuratore, e inforcò anche gli occhiali, nonostante non ci fosse niente da vedere. – In che senso *saliva*?

– Dobbiamo aspettare i risultati ufficiali della perizia, ma il sottufficiale che lavora nel nostro laboratorio e che vi giuro è il meglio che ci sia in Italia e non solo… – *vabbe'*, mormorò Carlisi, ma Pierluigi non lo sentí neppure, – il maresciallo Strano assicura che quell'alone sulla stoffa che avevamo notato è saliva. Saliva umana. In quantità cospicua e piuttosto densa, tanto che piú che di saliva bisognerebbe parlare di bava.

– Bava? – l'avevano detto tutti, quasi urlato, tranne De Zan, che già lo sapeva, e Grazia, che si stava mangiando l'interno della guancia, altrimenti, forse, lo avrebbe detto anche lei.

– Bava? E come diavolo…

– Morsi –. Pierluigi allungò una cartellina al sostituto procuratore, che la scacciò con un gesto della mano cosí deciso che sembrava rabbioso, ma lui non se ne accorse, perché parlava per Grazia, solo per lei. – Ci avevo già pensato, in effetti, ma non ero sicuro. Quegli strappi sulla maglietta della tipa degli appartamenti e su quella del Cardella non sono scuciture fatte con un coltello, sono morsi. Come se qualcuno volesse strappare la stoffa con i denti, – e fece anche il gesto, piegando la testa di lato e battendo insieme i canini.

– Oh, Gesú, – disse il sostituto procuratore.

Grazia prese la cartellina e la aprí, sfogliando gli ingrandimenti delle fotografie.

Pensava: *cazzo*.

– Stiamo facendo una comparazione con la saliva repertata sulla maglietta del Cardella Vincenzo, ma io mi gioco i gradi che salterà fuori lo stesso Dna per tutti e due i casi.

Grazia chiuse la cartellina e la porse a Matera, passandogliela indietro da sopra una spalla.

Continuava a pensare: *cazzo*.

– Non è che li morde sul resto del corpo, non ci sono segni... c'è tutta la violenza immaginabile ma non li morde. Lo fa solo sul petto, sui vestiti. Perché?

Anche quello lo aveva detto a Grazia, che si strinse nelle spalle.

– Dottore, mi dica che sono emersi collegamenti tra la tizia degli appartamenti e la criminalità organizzata, – disse la Deianna, ma era poco piú di una battuta perché Carlisi stava già scuotendo la testa.

– No. Ci stiamo ancora lavorando, ma per adesso non abbiamo trovato niente e dubito che...

Il sostituto procuratore Deianna si alzò dalla sedia, lisciandosi la gonna sulle gambe.

– Ho capito. Allora da questo momento questa non è piú un'indagine antimafia, almeno tendenzialmente, ma su un sospetto... presunto... Gesú, faccio fatica pure a dirlo.

– Serial killer, – disse De Zan.

Cazzo, pensò Grazia.

– Esatto. Ma siccome c'è sempre qualcosa di mafia di mezzo, dato anche l'interessamento di madre camorra denunciato dall'ispettore Negro, per ora resta tutto nelle mani della sottoscritta. In attesa che se lo pigli qualcun altro questo casino, viste le diverse competenze della sezione criminalità organizzata, assegno l'inchiesta all'arma ringraziando la polizia per il lavoro svolto finora.

– Dottoressa... – disse Carlisi alzando un dito.

– Dottore... – disse De Zan, staccandosi dalla finestra.

A Pierluigi il sorriso è rimasto attaccato alle labbra, cosí freddo e secco che potrebbe pulirselo via dalla bocca con la manica della divisa. Guarda Grazia impegnata a mangiarsi l'interno della guancia e la felicità diventa paura. Paura di non vederla piú, di non lavorare piú assieme a lei, non vederla piú.

– Dottoressa, se posso... – dice di slancio, e a voce cosí alta che la discussione si blocca. – Se posso dire, le competenze dell'ispettore Negro in questo tipo di indagini sono cosí importanti e specifiche... e dal momento che abbiamo lavorato...

– Parlo io col questore, – disse Carlisi, – e pure con il dirigente della mobile, – e intanto annuiva a occhi chiusi, *cosa fatta, cosa fatta*.

– Ho capito, – disse il sostituto procuratore. – E in effetti è giusto. Suggerisco la composizione di una squadra interforze, una squadra antimostro... e continuo a fare fatica a dirlo, Gesú.

De Zan era cosí sorpreso dall'essere stato scavalcato in quel modo – e dal suo capitano – che non era ancora riuscito a parlare. Prese fiato un paio di volte, troncato prima da Carlisi, *per noi va bene*, e poi dalla Deianna: – Naturalmente la direzione dell'indagine resta al reparto operativo dei carabinieri.

Silenzio.

Poi Carlisi: *va bene*, e Deianna: *va bene*.

– Mi aspetto la massima collaborazione, ma non c'è neanche bisogno di dirlo. E soprattutto la massima discrezione.

– E ci mancherebbe, – disse Carlisi, – se la gente sapesse che in giro c'è un assassino che morde la gente come un cane idrofobo...

– Ecco, dottore, smettiamola subito di dire cosí. Se cominciate a chiamarlo *cane* o robe del genere poi va a finire sulla stampa e io mi arrabbio, non immaginate neppure quanto. Ci siamo capiti? Per ora è tutto presunto, cerchiamo un assassino. Sempre che sia uno solo. Buon lavoro.

Si aggiustò la gonna sculettando sotto la stoffa, prima di uscire. Se fossero stati soli, Sarrina avrebbe fatto una battuta, ma c'erano ancora i carabinieri e il colonnello aveva uno sguardo da attacco d'ulcera.

– Riunioni operative da noi, – disse a Carlisi, stringendogli la mano, e poi a Pierluigi, brusco: *andiamo*.

Pierluigi saluta con un cenno della mano e segue il colonnello. Pensa: *adesso mi fa un culo...* Ma non gli importa, il sorriso si è riacceso sotto le croste di quello precedente e se lo porta fuori dall'ufficio.

– Grazia, – disse Carlisi appena rimase solo con la sua squadra, dopo aver fatto cenno a Sarrina di chiudere la porta. – Il Cane è tuo. Lo devi prendere te. Sí, lo so, non dobbiamo chiamarlo cosí e massima collaborazione, certo... però il Cane alla fine lo devi prendere te.

– Morde e sbava, – disse Sarrina, – ci vuole l'accalappiacani, – ma non rise nessuno.

Grazia annuí, poi si toccò la pancia sotto la maglietta e di nuovo pensò *cazzo*, ma per un altro motivo.

– Arrivo subito, – disse, – devo andare un attimo in bagno.

Era una fortuna che si fosse portata dietro la siringa a forma di penna, mettendola nello zainetto quasi senza pensarci, come se già avesse saputo che non sarebbe mai tornata a casa in tempo. Stava fuori dal frigorifero da quasi una giornata ma probabilmente faceva lo stesso, o almeno lo sperava.

In bagno mandò un messaggio a Simone – *scusami casi-ni ritardo lo faccio da sola poi ti spiego* – e spense il cellulare perché lui non la richiamasse.

Mentre si tastava la pancia in cerca di un altro posto da pizzicare per l'ago, si concentrò su quei morsi. Non voleva pensare a Simone, al suo sguardo storto e silenzioso quando sarebbe tornata a casa, alle faccine contratte dei gemellini del sogno, al bruciore dell'ago sotto la pelle, a niente di tutto questo, cosí si disse *il Cane non li azzanna, il Cane non li sbrana, il Cane è arrabbiato e sbava ma li morde solo sul petto, lacera la stoffa come per strappare via i vestiti, perché, perché, perché?*

Fuori dalla questura, nel parcheggio di piazza Roosevelt, il colonnello De Zan sta facendo il culo al capitano Pierluigi. A modo suo, senza alzare la voce, un cazziatone freddo e tagliente come una lama di porcellana, *non si permetta mai piú* e *la prossima volta che.*

Il volto di Pierluigi brucia friggendogli la radice dei capelli, ma non è per rabbia o per umiliazione. Forse per la prima volta in vita sua i rimproveri del suo superiore non li sente nemmeno. Mantiene un'espressione cupa per nascondere un sorriso che altrimenti gli squarcerebbe la faccia.

Perché ha capito cos'era quella strana felicità che gli faceva venire voglia di saltare come un bambino nel parco di Maria Luigia.

Lo ha capito quando ha lanciato un'ultima occhiata a Grazia, prima di uscire dall'ufficio dietro le spalle nere del suo colonnello, sapendo che l'avrebbe rivista ancora.

Si è innamorato.

Si è innamorato di lei.

Ci sono tre commenti all'ultimo post.

Sono utenti anonimi, senza fotografia, solo un punto interrogativo in un quadrato azzurro che sembra riempito da un'impronta digitale trasparente.

#1 chiede: *chi sei tu... fai paura.*

#2 dice: *scherzi? O, veramente, non ci stai dentro? Ma con chi ce l'hai? Camomilla o valeriana, poi, veramente qualcuno che ti aiuti.* E lo firma: *L.*

#3 dice: *hai ragione, cazzo, sono tutti stronzi.*

Non gli rispondo. Non ho messo in rete questo blog per chiacchierare, se no aprivo una pagina su Facebook.

Ma anche se avessi voluto rispondere non sarei riuscito a farlo, perché ho avuto solo il tempo di inserire una fotografia.

È quella di una donna, in bianco e nero. Sembra il ritratto di una vecchia mamma da giovane, di quelli che si trovano infilati nelle cornici delle credenze, in soffitta, in campagna o nei mercatini d'antiquariato. Sorride, il labbro di sopra sollevato sui denti, i capelli neri arricciati sulla testa e spartiti ai lati del volto in due lunghe ali ondulate. Porta un vestito a fiori, chiuso appena sotto il collo, e lí si ferma perché la foto è quasi a mezzo busto.

Non è un'immagine triste, questa.

Lo so che poi lei non sarà piú cosí, e forse non lo è mai stata, però la donna della foto, qui, sembra felice.

Ma non sono riuscito a mettere altro. Perché è arrivato lui, e allora io ho messo la canzone, l'ho caricata nella barretta e la gomma da cancellare l'ha spinta fuori dalle casse del computer, prima un giro di basso che avanza sotto uno strisciare di piatti che sembra un sospiro, poi un battere di casse che pulsa dritto come un cuore.

Rammstein, dice il cursore.

Benzin.

C'è un ringhio là sotto? O è un urlo lontano?

Ho paura.

Cosa c'è là sotto, ho paura.

Poi lo sento, e sí, è un urlo, un urlo che si avvicina e sí, mi fa paura, e allora scappo, mi nascondo sotto il tavolo, mi stringo fra le ginocchia e mi chiudo le orecchie con le braccia, le mani sulla testa, ma lo sento lo stesso, lo sento e ho paura, ho paura, ho paura.

Respira al ritmo della musica che picchia forte sulla mia testa. Non lo vedo ma posso immaginarlo, seduto, il peso che schiaccia la molla della poltroncina, proteso in avanti sulla tastiera, le dita come artigli, le labbra socchiuse per far uscire un respiro roco come quella voce che canta in tedesco, le *r* che mi raschiano nelle orecchie e bruciano dentro il cervello.

Lo posso immaginare, le labbra arricciate sui denti e le narici aperte, pesta feroce sui tasti e so quello che scrive perché lo dice, lo ringhia forte per fonderlo alla musica e a quella voce che ansima nelle casse, metallica e bassa:

ma io mi chiedo io mi chiedo stronzi io mi chiedo come cazzo fate a vivere cosí stronzi maledetti teste di cazzo e figli di puttana (lo sento, prende il fiato e spinge fuori ancora) *servi di merda di padroni infami che sono come voi che vi vendete anche il culo per esser come loro troie* (lo ringhia) *troie* (lo ringhia forte) TROIE (lo urla) *che possiate morire adesso sapendo di essere già morti ab-*

bandonati ai denti delle iene ossa e vermi su cui piscino i maiali (ansima, senza fiato e io lo sento – lo vedo – risucchiare dentro il respiro per soffiarlo fuori denso, basso nella gola) *io mi chiedo mi chiedo io mi chiedo che posto c'è per voi in questo mondo voi che rubate la fiducia della gente* (si allarga nella gola) *per fottergli la vita a pagamento* (raschia, in fondo) *piovre dalle dita aperte a premere pulsanti e voi* (ha stretto i denti) *voi che li seguite per la speranza di un minuto sotto i riflettori e voi* (ancora) *che risparmiate anche sugli orfani e le vedove che la vostra avidità produce voi* (ora no, ora urla) *voi che rubate il futuro anche ai vecchi che succhiate il sangue dei malati e il sudore degli schiavi voi che proibite una bestemmia ma tollerate un pugno ipocriti bastardi infami figli di puttana e anche voi che non ci fate un cazzo perché ci siete dentro ora ora ora è finita perché non è giustizia quel che voglio ma vendetta e vi prenderò uno per uno uno per uno stronzi maledetti* VERRÒ A PRENDERVI UNO PER UNO E VI MANGERÒ IL CUORE!

e urla, urla cosí forte che adesso io lo so che non c'è piú spazio per scrivere nient'altro, perché ho paura, ho paura a uscire, stretto fra le braccia e le ginocchia come un feto, e allora posso solo dirmelo nella testa, ripeterlo tra me e me, in silenzio: c'è qualcuno?

C'è qualcuno che può aiutarmi là fuori?

Verrò a prendervi uno per uno, stronzi maledetti!

Appena l'ha visto arrivare è scivolato all'indietro.

Era saltato giú dal camion perché gli era apparsa quella macchia nera davanti ai fari, l'aveva notata con la coda dell'occhio mentre faceva retromarcia nella cava per infilare il cassone in un buco libero tra le collinette di spazzatura.

Sul momento aveva pensato che fosse un cane, e grosso anche, ma la macchia era uscita dal cono di luce con un balzo e chissà perché gli aveva dato l'impressione di non essere un animale. Sul sedile di fianco teneva un cric – giusto per fare, per una cosa sua, perché rubarglielo, un carico cosí, non glielo rubava nessuno, e se lo fermavano i carabinieri doveva solo stare zitto che ci pensava l'avvocato –, l'aveva preso ed era saltato giú.

Ma adesso che lo vede arrivare, nero su nero nel buio del fondo della cava, non fa in tempo ad alzare il braccio armato che i tacchi degli stivali di gomma gli scivolano come pattini nell'impasto di fango e percolato, cade all'indietro e prende una botta nella schiena contro la gomma della ruota che gli mozza il fiato, e un'altra nella nuca con il parafango, che lo stordisce.

È solo un momento, perché si torce su sé stesso come un gatto, senza fiato, e con la testa che gli brucia si arrampica dentro la cabina del camion, tutto di braccia, aggrappato al volante, e avrebbe anche afferrato il sedile con i denti per tirarsi su perché se la sente vicina quella bestia – ora pensa che sia un animale – raspa sulla lamiera e ringhia come un cane, ma non lo è, non sa cos'è e questo gli fa una paura pazzesca.

È riuscito a girarsi ancora, schiena sul sedile, troppo tardi per chiudere la portiera e anche per scalciare, perché quella bestia nera gli è addosso, gli schiaccia le gambe, gli pesa sulla pancia, gli pianta la testa nello stomaco per salire ancora, e allora per un momento lui si blocca, non è un animale, è un uomo, lo ha sentito dalla stoffa che ha sotto le mani, e anche lo conosce quel vestito che si curva sull'arco della schiena, e sta per dire *ma che minchia* ma gli resta nel pensiero perché l'altro ha sollevato la testa, schizzandolo di bava, densa e calda come lava bianca.

Il primo colpo in mezzo al petto quasi non lo sente. È una testata secca che gli rimbomba in gola e nei polmoni, strappandogli anche uno scatto di tosse, ma è cosí sbigottito che sente davvero male solo alla seconda botta, e allora allunga le mani per fermare quella testa che sta per abbattersi di nuovo, gliele apre sulla faccia che si deforma, si allarga tra le sue dita, la bocca schiumosa che preme, tutto il peso di quel corpo nero che spinge sulle sue braccia per piegarle, i denti che ringhiano verso di lui, che non ce la fa, lo sente, lo sa, e infatti ha già cominciato a tremare, ansimando di terrore, scuotendo la testa anche lui, e anche lui ringhia, ma di paura.

Quando cede, di schianto, il dolore gli esplode sul petto attraverso lo squarcio nella maglietta, viaggiando velocissimo e acuto sulla pelle e nella carne come una scossa elettrica, fino al cervello.

Urla, vorrebbe afferrare quella testa che si scuote ringhiando su di lui senza mollare la presa, vorrebbe prenderlo per le orecchie, strappargliele, tempestarlo di pugni sulla schiena nera, ma l'altro è stato veloce ad allungare le mani e a bloccargli le braccia all'altezza dei gomiti, aprendolo come in croce.

Il panico lo scuote in una convulsione inutile.

L'altro solleva la testa, libera la bocca sputando contro il vetro del parabrezza e di nuovo si avventa a mordere.

Come un cane.

Verrò a prendervi uno per uno, stronzi maledetti, e vi mangerò il cuore!

Questa mattina alle sei
con il buio in un vento gelato
sfrecciavo con il mio Ciao
sembravo un ghiacciolo impazzito
non volevo far tardi
col capo che rompe i maroni
ci paga tre euro e settanta
all'ora se stiamo buoni
ci paga tre euro e settanta
all'ora se stiamo buoni.

ANDREA BUFFA, *Il sogno di volare*

Parte seconda

Benzin

Ich brauche Zeit, kein Heroin
kein Alkohol, kein Nikotin
Brauch keine Hilfe, kein Koffein
doch Dynamit und Terpentin […].
Brauch keinen Freund, kein Kokain
Brauch weder Arzt noch Medizin
Brauch keine Frau, nur Vaselin
etwas Nitroglyzerin
Ich brauche Geld für Gasolin
explosiv wie Kerosin
mit viel Oktan und frei von Blei
einen Kraftstoff wie Benzin
Gib mir Benzin…

[Mi serve tempo, non eroina,
né alcol, né nicotina
non mi serve aiuto, né caffeina
ma dinamite e trementina […].
Non mi serve nessun amico, né cocaina
non mi serve un dottore né medicina
non mi serve nessuna donna, né vaselina
un po' di nitroglicerina
mi servono soldi per la benzina
esplosiva come cherosene
con molti ottani e senza piombo
un carburante come benzina
dammi benzina…]

RAMMSTEIN, *Benzin*.

Ormai le iniezioni non le facevano piú impressione – soltanto il fastidio leggero di quel grattare sulla pancia – e aveva imparato a farsele dovunque con la rapida efficienza di un tossico, perché mantenere gli stessi orari due volte al giorno per lei non significava quasi mai trovarsi nello stesso posto, e tantomeno a casa.

Si era pizzicata la pelle nel gabinetto delle donne nella caserma di viale Panzacchi, seduta sulla tazza del water, un lembo della maglietta stretto sotto il mento, lasciando per un momento Matera e Sarrina con Pierluigi e i suoi a stampare liste di pregiudicati con precedenti specifici, pazienti in cura per eccessi di violenza, Tso, sospettati vari possibili e presunti – a cerchi concentrici da Bologna a tutta l'Emilia-Romagna – e lo aveva fatto anche nelle toilette dei bar, quando erano andati a verificare alibi e storie, la schiena schiacciata contro porte senza chiave o col chiavistello rotto.

Si era tastata con i polpastrelli fra i lividi sul ventre per cercare un punto libero e fresco nel buio del gabinetto chimico di una cava in provincia di Modena, dove una segnalazione anonima aveva fatto trovare un camion carico di residui industriali col corpo di un uomo riverso sul sedile, le braccia aperte come in croce e una ferita profonda, slabbrata e bluastra, che gli bucava il petto.

Si era spremuta una goccina di sangue, di nuovo nel gabinetto delle donne nel reparto operativo dei carabinieri, per la fretta di tornare ad ascoltare il profiler che sfogliava gli ingrandimenti dei delitti sparsi sulla scrivania di Pierluigi (Grazia: *vado un attimo in bagno*, Sarrina: *brava, bella scusa, se non reggi dillo*, Grazia: *vaffanculo*), *sí, dicevo, certo, violenza estrema, overkilling, ma è sicuramente quello che una volta chiamavamo serial killer organizzato, perché posso dire tre cose dai rapporti che mi avete mandato, anzi, quattro, vedete i morsi sul petto,* poi lo aveva interrotto ancora quando si era ricordata di aver lasciato la siringa sul lavandino del bagno (Grazia: *scusate un altro momento*, Sarrina: *allora sei umana anche tu*, Grazia: *vaffanculo*).

Come molti suoi colleghi Grazia diffidava dei criminologhi, soprattutto quelli che si vestivano di nero e andavano in televisione, ma con Massimo Picozzi era diverso. Grazia la Tv non la guardava mai, ma l'unica volta che aveva dovuto vedere uno di quei programmi di approfondimento criminale, obbligata da una sorridente e affabile intervista di Carlisi (*minchia, cosí poco? Ho parlato tre ore e mi hanno tagliato tutto!*) aveva sentito il professor Picozzi rispondere al conduttore che non poteva commentare perché non c'erano abbastanza elementi per farlo, per cui era meglio starsene zitti.

Quando era tornata nell'ufficio di Pierluigi il professore stava appoggiato allo schienale della poltroncina, una mano stretta al ginocchio della gamba accavallata e l'altra ad accarezzarsi la barba bianca, corta come i capelli. Adesso nella stanza assieme a Matera, Sarrina e Pierluigi c'era anche il colonnello De Zan, che annuiva grave, come se avesse appena ascoltato qualcosa di interessante.

– Che mi sono persa? – chiese Grazia.

– Dicevo che a parte le solite cose che si possono ipotizzare, maschio tra i venti e i cinquanta, solitario, organizzato, eccetera eccetera, ho notato una possibile relazione tra le vittime. Mafia, affitti abusivi, traffico di rifiuti... sono tutte persone che a vario livello avevano a che fare con la sfera dell'illegalità.

E fin qui, pensò Grazia, ma non disse niente, il professore parlava in fretta, agitava la mano libera e si vedeva che aveva altre cose da aggiungere.

– L'elemento importante, su cui mi sono fermato a riflettere da quando mi avete chiesto la consulenza, è proprio questo, *a vario livello*. Enzino è solo il figlio di un mafioso, il camionista è solo un padroncino e la signora degli appartamenti non è certo un boss. Sono tutte figure, diciamo cosí, di secondo piano.

– Obiettivi raggiungibili, – disse Grazia, e Pierluigi annuí cosí vigorosamente che lei lo guardò, strappandogli un sorriso imbarazzato.

– Pesci piccoli a portata di mano, piú facili da prendere di chi sta davvero in alto. A questo punto sono tornato indietro, – il professore fece ruotare la mano a mezz'aria, – e ho ridefinito il termine *mafioso*, perché alla fine, camorra o non camorra, il padre di Enzino è soprattutto uno speculatore edilizio. Ecco, è proprio contro questo tipo di illegalità, molto quotidiana, molto diffusa, che il nostro assassino si scaglia con una rabbia bestiale.

– Come un cane, – disse Grazia.

– Prego?

– Lo abbiamo chiamato il Cane, – iniziò Pierluigi, – proprio perché li morde...

– Non lo abbiamo chiamato in nessun modo, – tagliò secco De Zan, – e tantomeno il Cane.

– Però è cosí in effetti, – disse Picozzi, – è come un cane arrabbiato che si scaglia sul primo che incontra. Anzi, piú che arrabbiato, rabbioso. Mi pare di aver letto della bava, da qualche parte... – Si sporse sulla scrivania dove stava una pila di fogli stampati, sotto le fotografie ingrandite dei Ris, poi lasciò perdere. – Comunque non sono proprio morsi. Sono lacerazioni, l'avete visto. Vuole fare una cosa.

Fece una pausa di una frazione di secondo, forse era per riprendere fiato o forse era un trucco televisivo, in ogni caso il primo a caderci fu Sarrina.

– Cosa?

– Vuole fare un buco. Per arrivare fino al cuore.

– Perché?

– Forse perché crede che non ce l'abbiano. Non lo so, non ho abbastanza elementi per dirlo. Tutto quello che posso affermare per adesso è che state cercando una persona molto arrabbiata, che vive con questa rabbia una situazione, – allargò le braccia, a indicare la stanza, l'edificio, Bologna, l'Italia, il Mondo, – che percepisce come profondamente ingiusta, e che scatena questa rabbia contro i simboli piú immediati di quella ingiustizia –. Si toccò la punta del pollice, *rabbia e ingiustizia*, poi quella dell'indice, *pesci piccoli*. – C'è una terza cosa che vi posso dire. Se avete fatto, come immagino, una ricerca indietro nel tempo, forse salteranno fuori altri casi simili, magari di anni prima. Ma questi ultimi sono accaduti a distanza ravvicinata, uno dietro l'altro.

Grazia si morse l'interno della guancia fino a farsi male. Aveva già capito dove voleva arrivare il professore.

– Significa che il vostro Cane sta a rota come un tossico, ucciderà ancora e molto presto.

– Chi? – chiese Pierluigi, e lo sapeva che era una domanda stupida, ma l'avevano pensata tutti.

– Chiunque. Provate a pensare una cosa che vi fa rabbia perché non vi sembra giusta e potrebbe essere quella che fa arrabbiare anche lui. Poi provate a immaginare il primo che passa e che c'entra qualcosa, anche lontanamente.

– Quattro cose, – disse Grazia.

– Prego?

– Aveva detto quattro cose. Ce ne ha raccontate solo tre. La quarta?

– Auguri, – disse Picozzi, e sorrise come per scusarsi, perché quella, sí, era una battuta da televisione.

– Un tizio incazzato col mondo, – disse Sarrina quando il professore fu uscito. – Sono io. Ci sono un sacco di cose che mi fanno uscire di testa. Sfiga, ragazzi, mi avete beccato, – e stese le braccia con i polsi incrociati, come per farsi ammanettare.

– Non scherziamo, – disse De Zan.

– Magari fosse uno scherzo. Il collega ha ragione, – Matera si tolse di bocca il mozzicone di sigaro per rispetto al colonnello. – Se i criteri sono quelli indicati da Picozzi, come lo becchiamo il Cane? Un tizio qualunque che uccide chiunque.

– Piano, piano, – disse Grazia, – non è proprio cosí.

L'avevano fatta una ricerca indietro nel tempo. Avevano diramato richieste di informazioni al Sasc, il sistema di analisi della scena del crimine della polizia scientifica, alle questure, ai commissariati, ai comandi e alle caserme dei carabinieri, prima dell'Emilia-Romagna e poi di tutta Italia, anche se il professore aveva ipotizzato che il Cane avesse come centro proprio Bologna, visto che le vittime accertate erano tutte della zona. *Avete presente* Il silenzio degli innocenti, *il killer desidera quello che vede, ecco, il Cane odia quello che vede.*

I criteri della ricerca erano due – estrema e inspiegabile violenza e morsi, ferite o escoriazioni sul petto – da estendersi ai casi irrisolti degli ultimi dieci anni. Erano arrivate ventisette segnalazioni, che avrebbero potuto ridurre inserendo un altro criterio: vittime legate *a vario livello*, come aveva detto il professore, alla sfera dell'illegalità, soprattutto se con risvolti sociali.

– E poi non è vero che ammazza chiunque. Questa non è
gente famosa, che tutti conoscono. Questi sono sconosciuti
che per notarli devi averci avuto qualcosa a che fare –. Se
avesse visto come Pierluigi la stava guardando forse Grazia avrebbe sorriso, ma era troppo presa dal suo ragionamento per accorgersene. Si sedette anche sul bordo della
scrivania di Pierluigi. – Magari non hanno niente in comune
tra di loro, ma con il Cane sí, anche se probabilmente non
lo sapevano. Tipo uno studente in affitto dalla signora, che
studiava con Enzino e si occupa di ecologia...

– Ecco, a questo proposito io avrei un'idea –. Aveva detto
avrei, De Zan, ma il tono era meno condizionale di quanto
avrebbe dovuto essere. – Proprio per i risvolti sociali, anche
ecologisti, insomma, antagonisti, dei casi.

– Il mio era solo un esempio.

– Va bene, va bene, – disse il colonnello, – ma io ipotiz-
zerei, – ancora meno condizionale, – un coinvolgimento di
gruppi eversivi, estremisti, insomma, antagonisti.

– Ma il maresciallo Strano... – iniziò Pierluigi.

– Ho letto il rapporto del colonnello Seimandi, che co-
manda il Ris da cui dipende il maresciallo. Lo so che non ci
sono riscontri che facciano pensare a piú di un aggressore,
ma se ci fossero altri dietro a chi colpisce? E se anche fosse
da solo, non potrebbe provenire comunque da quell'area?
Gli anarchici insurrezionalisti, per esempio.

Potrebbe. Può. Viene.

– Per potere può essere tutto, – disse Grazia. – Io prima
di prendere una direzione precisa verificherei i casi precedenti, e se venisse fuori un'altra relazione...

– Bene, ispettore, verifichi. Anzi, facciamo cosí: voi bat-
tete la pista del passato e noi quella degli antagonisti, cosí
risparmiamo tempo. Lo comunicherò alla dottoressa Deianna e sono sicuro che sarà d'accordo.

– Anch'io avrei un'idea.

De Zan corrugò la fronte e sporse in avanti le labbra, come un sommelier che assaggia un vino. Sembrava che volesse assaporare quell'*avrei* di Grazia, assaggiarne il condizionale.

– Chiunque sia l'animale che ammazza in quel modo, con quella violenza, non può condurre un'esistenza normale. Piú o meno organizzato che sia, un mostro cosí qualcuno deve averlo notato. A meno che non se ne stia chiuso in un buco per uscire solo a caccia, come una belva.

– E quindi?

– E quindi finora la stampa non ha messo in relazione gli omicidi e siamo riusciti a tenerla fuori, e va bene. Ma un po' di pubblicità ci porterebbe anche parecchie segnalazioni e magari...

– È impazzita? – Anche a De Zan la rabbia sottolineava l'accento di origine, come alla dottoressa Deianna. – Porco can, ispettore, è diventata matta?

L'accento di De Zan era veneto, padovano, e Grazia se lo sentiva ancora danzare dentro le orecchie, scivolando sulle vocali e arrotando le *r* mentre la minacciava e anche la insultava, senza mai alzare la voce, sempre con lo stesso tono secco e tagliente.

Ma non era a quello che pensava. Pensava alla sua reazione, perché il colonnello aveva detto quello che Grazia si aspettava, e sapeva anche che prima o poi sarebbe successo. E allora perché aveva provato quella rabbia cosí feroce, cosí forte da bruciarle in testa come una lampadina che si fulmina. Per un istante aveva avuto il desiderio irresistibile di strangolarlo, allungare le braccia e stringere le mani attorno a quel collo da lucertola rabbrividito dall'aria condizionata.

Non l'aveva fatto, naturalmente, e ce l'aveva già avuta tante volte la voglia di strozzare qualcuno, prenderlo a calci nel sedere o a cazzotti, perché era un tipo sanguigno, Grazia, che si arrabbiava subito, ma anche abbastanza indolente da non fare nulla, e le passava in fretta.

Piú di tutto, però, la stupiva come si era comportata dopo. Aggredire un colonnello dei carabinieri no, certo, ma rispondergli a tono, o anche di piú, quello sí, se lo aspettavano pure Matera e Sarrina, e invece Grazia non aveva detto niente. Non poteva, perché le tremavano le labbra, e mentre si sforzava di tenerle strette, la tensione concentrata agli angoli della bocca, le erano venute le lacrime agli occhi.

De Zan se n'era accorto, aveva smesso il cazziatone tagliente e aveva anche perso l'accento padovano mentre congedava Grazia e i suoi. Se n'era accorto anche Sarrina, che nel corridoio, davanti a lei, scuoteva la testa sibilando qualcosa, e anche Matera, che le aveva stretto il braccio, da dietro. E se n'era accorto sicuramente anche Pierluigi, che però era rimasto nella stanza, ingoiato dalla porta di legno e vetro smerigliato del suo ufficio.

Quando passarono davanti al bagno Grazia ci si infilò con uno scatto.

Che c'è, stai male? chiese Matera, e Sarrina: *Ma dài, avrà le sue cose,* mentre Grazia si chiudeva nell'ultimo vano, e scoppiava a piangere, attaccandosi allo sciacquone perché lo scroscio dell'acqua coprisse i suoi singhiozzi.

Fanculo ai carabinieri, pensò, *fanculo al Cane, e fanculo a queste cazze di punture,* e intanto stringeva gli occhi per non vedere tra le lacrime le faccine arrabbiate dei gemelli.

Poi rimase a lungo in silenzio. Anche quando Sarrina disse *ma guarda se ce lo devono fare i cinesi il caffè* perché dietro il bancone del bar c'era una ragazza con gli occhi a mandorla. Grazia l'aveva osservata vuotare il serbatoio di metallo battendolo contro il bordo di un cassetto, tirare la levetta dell'erogatore per riempirlo di polvere, stringerlo sotto la macchina premendo forte sulla maniglia di plastica nera e poi toglierlo, versare con un cucchiaino dell'altra polvere sul caffè pressato e incastrarlo di nuovo, stretto, sotto la Cimbali a tre bocche, *Espresso & Cappuccino: stile di vita italiano*. Era buono.

Era rimasta in silenzio anche fuori, camminando sotto il portico dietro a Matera e Sarrina, con le dita nelle tasche dei jeans. *Madonna, com'è sporca questa città di merda* stava dicendo Sarrina, e intendeva gli scarabocchi arrotondati che attraversavano un muro ocra spento, perché aggiunse *ma non c'era una legge contro questi stronzi?*

– Sí, – disse Matera, – adesso diamo anche la caccia a chi scrive sui muri. Sarrina, piú passa il tempo e piú sembri quel poliziotto della Tv, Coliandro, quello sfigato che fa ridere.

– Sfigato un cazzo. Perché, non ho ragione? Non è una merda questa città? Lo sai che i sondaggi dicono che Bologna è una delle città piú invivibili d'Italia?

– Bologna? E chi lo dice?

– I bolognesi.

– Quelli che dicono che dopo il tramonto c'è il coprifuoco? Che non si può uscire di casa? Sarrina, fatti un giro all'anticrimine a prendere le statistiche: per essere la città che è, a Bologna non succede niente di piú, anzi, anche meno.

– Se la gente si lamenta ci sarà un motivo, – disse Sarrina, poi guardò Grazia per cercare aiuto, perché non era mai stato troppo bravo a spiegarsi e con Matera ci perdeva sempre. Ma Grazia non disse nulla, non li ascoltava neanche. Non stava neppure pensando a qualcosa in particolare, si sentiva stanca, quasi esausta e non vedeva l'ora di arrivare in ufficio. Sarrina nel frattempo era tornato alla carica, ogni tanto parole come *merdaio*, *extracomunitari*, *punkabbestia* e *paura* attraversavano il muro di fiacca indifferenza che la avvolgeva come nebbia.

– Ma dài, Sarrina... io ci vado in giro in centro alle due
di notte e non ho mai avuto problemi.

– Non dire cazzate, sei un cristone grosso con il sigaro in
bocca e si vede subito che sei uno sbirro. Io dico le ragazzine.
Hanno paura anche i nostri. Una volta ero in piazza Verdi e
c'era un gruppo di punkabbestia con uno che faceva cagare
il cane proprio in mezzo alla strada. Davanti c'era una volante e i colleghi se ne sono rimasti dentro, senza intervenire.

Matera si fermò e Grazia deviò appena in tempo per non
sbattergli contro.

– Cioè mi stai portando come esempio un mancato intervento per un cane che caga? Minchia, Sarrí, se il problema
criminale di una città sono le cacche dei cani posso andare
in pensione tranquillo. No, Grazia? No?

– Cosa?

– Tu hai paura ad andare in giro la notte per Bologna?

– No.

– Visto? Anche lei è uno sbirro e tiene un ferro cosí sotto
la camicia, ma sembra comunque una studentessa.

Matera riprese a camminare e raggiunse Grazia che non
si era mai fermata. Sarrina esitò, poi si mosse anche lui, in
fretta, perché gli era venuta un'idea.

– Va bene, paura no, ma ci giri tranquilla?

– No.

Questa volta fu Sarrina a fermarsi. Allargò le braccia in
un inchino come per dire *visto?* Ma Matera non lo guardò
neanche.

– Se mi parli di tensione sono d'accordo. Se mi parli di
facce strane, di gente che si incazza perché non ha piú punti
di riferimento, neanche qui, allora ci sto. Guarda questa città, non ci ha piú neanche un sindaco. Sí, c'è un commissario
prefettizio che è una donna tosta e pure in gamba, va bene,
ma l'avresti mai detto che Bologna, Bologna, cristo, restava

senza sindaco per una storia di donne e di soldi? – Parlava attorno al sigaro, stringendo i denti sul tabacco nero di saliva. – Un'altra città, magari, ma non Bologna.

– E perché?

– Perché no. Una volta ce ne sarebbe stato uno che invece di dimettersi andava in piazza, montava su una cassetta di frutta e faceva un casino, ma è un pezzo che non ce ne sono piú di sindaci cosí, neanche qua –. Sputò il sigaro perché non riusciva a parlare e si fermò di nuovo. – Eravamo alla stazione il 2 agosto, in servizio, no? Non c'era neanche il governo, sul palco. Sí, i parenti delle vittime della strage, il commissario sindaco, ma nessun politico nazionale, va bene che li fischiano sempre, però non c'erano. Non gliene frega piú niente a nessuno. Non gli vuole piú bene nessuno, a questa città.

Riprese a camminare, ansimando per la foga del discorso. Si era stupito lui per primo di essersi lasciato trasportare in quel modo.

– Vabbe', – disse Sarrina, – è poi tutta l'Italia che è cosí. Tutti persi, tutti incazzati. Se lo chiedessimo alla gente, finisce che il Cane piú che in galera lo manderebbero al governo.

Si strinse nelle spalle con una faccia che sembrava volesse dire *e insomma*, nel senso di *forse non hanno tutti i torti*, o almeno cosí lo capí Matera, che mise una mano sul braccio di Grazia, che era troppo avanti, per rallentarla.

– Senti, Grazia, ma visti i tempi, non è che il colonnello potrebbe avere un po' di ragione? Cioè, noi cerchiamo un serial killer, un tizio isolato e matto, ma non è che siamo tornati ai tempi del terrorismo? Non potrebbe essere una cellula organizzata?

– No, – disse Grazia, – non credo. Tu c'eri in quegli anni, stavi già alla Digos, no? Erano tempi diversi.

Matera annuí. Aveva già un altro sigaro tra i denti. – È vero, – strinse gli occhi come per il fumo ma era perché stava ricordando, era stato un *carbonaro*, uno dei primi aderenti al sindacato, ancora quasi clandestino; allora c'era l'abitudine a organizzarsi in gruppo, un progetto da costruire e anche un'ideologia che teneva insieme la gente, pure nelle cazzate.

– Ecco, bravo. Adesso tutto questo non c'è piú. Troppo individualismo, anche nelle cazzate.

Erano quasi arrivati in questura.

– De Zan si sbaglia. Il Cane è un serial killer, non un terrorista. O almeno, non nel senso che intende lui, – e mentre lo diceva pensò *ma perché non gli ho risposto cosí a quella minchia di colonnello?*

Horst: compagni, che sta succedendo a Bologna?

CONTRO/INFORMA/AZIONE

Arresti e perquisizioni in tutta l'Emilia [aggiornato]

Alle 4 di questa mattina i carabinieri del Ros hanno fatto irruzione in una quarantina di abitazioni attuando un'operazione repressiva contro il movimento anarchico ordinata dalla pm Emanuela Deianna della Dda di Bologna: 4 arresti e 11 indagati. Attendiamo maggiori notizie per comprendere nella sua interezza la portata e la strategia sottendente questa operazione repressiva. Non attendiamo invece a esprimere solidarietà e vicinanza a tutti i compagni e le compagne colpiti da perquisizioni, indagini e arresti.

REGIONE CARABINIERI – EMILIA-ROMAGNA
COMANDO PROVINCIALE BOLOGNA
NUCLEO INVESTIGATIVO – I^a SEZIONE

Prot. n. 173/14   Bologna, 15 agosto 2010
Oggetto: Proc. pen. n. 1804/02

ALLA DIREZIONE DISTRETTUALE ANTIMAFIA DI BOLOGNA
Dott.ssa Emanuela Deianna

PREMESSA

Il presente impianto informativo racchiude gli esiti dell'attività investigativa condotta nell'ambito dell'indagine denominata «Furia Rabbiosa» [...].

1. Le perquisizioni compiute nelle abitazioni di accertati, conclamati e sospetti appartenenti a gruppi eversivi e antagonisti, con particolare attenzione all'area anarco-insurrezionalista, sebbene abbiano portato al sequestro di materiale documentario illegale, armi improprie e sostanze stupefacenti, con denunce e arresti ascrivibili ad altri provvedimenti, non hanno consentito di rinvenire elementi utili ai fini particolari della presente indagine [...].

2. La raccolta e l'escussione di sommarie informazioni testimoniali e fonti confidenziali permetteva di concentrare

l'attenzione su alcuni elementi ritenuti particolarmente atti-
vi, pericolosi e violenti, di seguito meglio generalizzati [...].

   a. Dopo un attento esame di circostanze, alibi e movi-
      menti, nessuno dei suddetti elementi poteva essere ri-
      condotto agli eventi criminosi oggetto della presente
      indagine [...].

3. L'attività investigativa del Reparto tecnologie informa-
tiche permetteva di evidenziare rapporti via internet inter-
corsi tra alcuni degli elementi precedentemente sospettati e
un personaggio noto a questi uffici [...].

   a. Massiccia e virulenta la sua attività su blog specifici,
      newsletter e social network sia nazionali che interna-
      zionali [...].

4. Per meglio lumeggiare la figura del Canterini Giuseppe
detto Cantero, si rappresenta che lo stesso risulta di pessima
condotta e vanta un corposo curriculum di reati contro la
persona, il patrimonio e altro [...]. Nello specifico e ai fini
della presente indagine, si precisa che:

   a. Il Canterini, in quanto sedicente «punkabbestia», si
      accompagnava a un cane di razza rottweiler di cui era
      stato ordinato il sequestro per aver morso alcuni pas-
      santi, tanto da essere ritenuto incontrollabile [...].

   b. Il Canterini risulta anche essere iscritto fuori corso
      e non frequentante alla facoltà di Lettere e Filosofia
      dell'Università di Bologna, corso di laurea in Discipli-
      ne delle arti, musiche e spettacolo (Dams) frequentato
      anche dal Cardella Enzo [...].

   c. Precedentemente il Canterini Giuseppe assieme ad altri
      aveva occupato abusivamente e illegalmente numerosi
      appartamenti sfitti e attualmente risiede assieme ad al-
      tri occupanti in uno stabile di proprietà dell'Università.

Sarrina: – Io lo conosco il Cantero, l'ho anche fermato tanti anni fa, quando stavo con la Digos in piazza Verdi, pisciava davanti al Comunale. È uno sfigato, intanto è un punkabbestia col bancomat di papà, e poi è uno che a trent'anni fa ancora la zecca come se ne avesse diciannove.

Matera: – Magari è proprio per quello che è incazzato.

Grazia: – Me lo ricordo, è uno che si vantava di aver preso a calci in faccia un poliziotto, in Grecia…

Sarrina: – Che stronzo di merda…

Grazia: – Aveva messo anche una foto, in rete, ma poi è saltato fuori che non era lui, era un black bloc tedesco.

Sarrina: – Pezzo di merda uguale.

Allora oggi è il 17 agosto 2010, sono le…

Perché mi riprendete? Che siamo, su *Scherzi a parte*?

Signor Canterini, data l'importanza dell'indagine vorrei documentare tutto nel modo piú preciso. Il suo avvocato è d'accordo, giusto? Allora, oggi è il 17 agosto 2010 e sono le… le dieci e otto minuti…

E perché non siamo in procura? A me m'hanno già arrestato, anche per fatti gravi, ma mi portavano sempre di sotto.

Ecco, dottoressa, questo lo volevo sapere anch'io. Perché siamo alla Dda? Perché questa è un'indagine della direzione…

Avvocato, mi lasci prima espletare le formalità, vuole? Allora, è qui presente l'indagato…

Ecco, dottoressa, indagato per cosa? Mi lasci dire che è tutto molto anomalo.

… è qui presente l'indagato Canterini Giuseppe, nato a Palestrina, in provincia di Roma, il 4 gennaio 1980 e residente a Bologna in via…

Battisti 16.

No, quello è l'indirizzo dello stabile occupato e non è valido, è illegale.

Io sono sempre illegale, per voi. Siamo tutti illegali, noi di fronte alla vostra legge, voi davanti al popolo.

Avvocato, lo faccia stare zitto un momento, se no non ci arriviamo mai a sapere perché siamo qui.

Tanto lo so perché mi avete fermato… perché esprimo la mia libera, e sottolineo li-be-ra, opinione in rete… perché non sopporto tutti quegli occhi elettronici che stanno in ogni angolo di Bologna… perché i bancomat…

Giuseppe, per favore, stai zitto.

… perché come al solito quando c'è rabbia in giro vi fate una retata di compagni per spaventare la gente, ma a noi non ci spaventate. A me non mi spaventate. Lo so che c'era la telecamera, mi sono fatto riprendere apposta. L'ho spaccata io la vetrina della…

Signor Canterini, lei è indagato per tre omicidi.

Timecode 00:12:23:04
Timecode 00:12:34:05

Signor Canterini?

Non dire niente, non dire piú niente. Dottoressa, noi esigiamo…

Cardella Enzo, Bianconcini Maria Clelia e Preti Antonio. Tutti massacrati con estrema, brutale e cieca violenza. Perché, signor Canterini, perché? Odio sociale, terrorismo oppure…

Non dire niente, sono provocazioni, non dire niente…

… oppure c'è qualcosa che non va lí dentro, qualche rotella che non gira?

Timecode 00:13:05:01
Timecode 00:13:15:29
Timecode 00:13:25:58

Signor Canterini?

Non dire niente, non dire niente!

Carlisi: – Dov'è Grazia? Dov'è?
Matera: – Ha preso la mattina libera. Cause familiari.
Carlisi: – Chiamala! Chiamala subito!

Era come se nell'ambulatorio fosse entrato un calabrone e per un momento Simone incassò la testa nelle spalle, alzando le braccia a mezz'aria per proteggersi il viso, ma solo per un momento, perché lo conosceva bene il ronzio del cellulare di Grazia. Questa volta era un ringhio, attutito da un fruscio di cotone, ma esasperato da un vibrare di plastica, come se qualcuno ansimasse tra i denti, insistente.

Simone allungò la mano verso la sedia accanto alla sua, dove aveva sentito che Grazia aveva lasciato cadere i jeans, tastò con le dita e poi le infilò in tasca, rapido e sicuro.

– Rispondi! – disse Grazia.

– Ma no! – disse la dottoressa.

La vibrazione cessò di colpo e Grazia capí che Simone le aveva spento il cellulare. Non si mosse, le mani intrecciate sulla pancia nuda, le dita dei piedi che si aprivano e si chiudevano nervosamente, anche una caviglia che roteava sulla mezzaluna imbottita in fondo al lettino. Strinse le labbra quando la dottoressa le inserí il catetere, perché era poco piú di un fastidio, qualcosa tra un solletico e un prurito, ma non le piaceva lo stesso.

Pensò a Simone che sedeva oltre il paravento di plastica, perché anche se non la poteva guardare lei si vergognava comunque a stare a gambe spalancate davanti a lui. Era il suo sperma quello che le stava entrando dentro e si chiese se Simone avesse pensato a lei, prima, quando si era chiuso

nel bagno della clinica con il barattolino di plastica stretto in
una mano, rosso in volto come un peperone (*Mi sta guardando
qualcuno? No, Simò, il corridoio è vuoto, entro con te? No*).

E lei, a cosa stava pensando? Al Cane, prima, e ancora
di piú quando aveva sentito il cellulare, ma adesso per un
attimo se ne era dimenticata, le erano passate nella mente
le faccine incazzate dei gemelli, Simone nel bagno, di nuovo le faccine dei gemelli, e a quelle si era aggrappata per
fermare il pensiero su quello che stava facendo.

Intanto non era detto che sarebbero stati due gemelli. Non
era detto neanche che sarebbe stato e basta, poteva benissimo non funzionare, non alla prima, almeno, ma la dottoressa era stata comunque cosí positiva. E poi il rischio di un
parto gemellare c'era soprattutto con le altre pratiche di
fecondazione assistita, quelle piú complesse.

Sí, ma se invece venivano fuori due gemelli? E piangevano, tutti e due, e lei col latte in mano, come nel sogno? Perché lo sapeva benissimo che non era quello, il problema, era
una metafora, un simbolo, la messa in scena notturna delle
ansie di lei, che mica lo sapeva se era pronta a essere mamma. E neanche se lo voleva.

– Fatto, – disse la dottoressa, e le porse una salvietta, per
asciugarsi.

Dietro il paravento Simone tirò su col naso, nascondendo
un singhiozzo dentro un colpo di tosse, ma lei lo sentí lo stesso. Per questo, in macchina, non gli chiese subito il cellulare.

– Avevi detto che prendevi la mattina libera.

– E infatti l'ho presa, Simò, ma stiamo in mezzo a una
indagine per tre omicidi, mica posso sparire completamente.

– Dovresti stare a riposo per quindici giorni. Non dico a
letto ma quasi.

– E ci sto, a riposo. Mica devo correre, sto seduta dietro
una scrivania. Non faccio manco le scale, prendo l'ascensore.

– Non dovresti neppure guidare.

– Simò, vuoi guidare te?

Non l'aveva detto con cattiveria, era una battuta. Lanciò un'occhiata a Simone e si accorse che sorrideva, o almeno, aveva stirato le labbra in quello che sembrava un sorriso. Grazia sentí le punte delle dita di Simone sfiorarle il dorso della mano. L'aveva appena appoggiata al pomello del cambio della Panda per scalare, perché avevano imboccato via Costa e stavano arrivando a casa. Ormai non se lo chiedeva piú come facesse Simone a capire quello che stava facendo anche senza vederla, ad anticiparla certe volte, però se ne stupiva sempre. Soprattutto quando era un po' di tempo che non succedeva. Sorrise anche lei.

C'era un buco libero proprio davanti a casa loro, miracolosamente. O meglio, ancora piú miracolosamente c'era un'auto parcheggiata davanti alla loro porta che si staccò dal marciapiede appena la Panda fu a tiro di parcheggio, freccia sinistra e via come se fosse telecomandata. Grazia ci si buttò quasi senza rallentare, un po' storta, perché nessuno sa resistere alla tentazione di parcheggiare in avanti anche se poi viene sempre male, pure alle Panda. Aggiustò con un accenno di retromarcia, spense il motore e aspettò che l'auto che le stava sfilando di fianco passasse lasciandola libera di aprire la portiera.

E invece l'auto non passò. Si fermò lí, a pochi millimetri dallo sportello di Grazia, un piccolo Suv da città, a tre porte, abbastanza alto e massiccio da sembrare un muro di metallo nero, ma non cosí alto da non farle vedere chi la stava sovrastando dietro il finestrino del passeggero.

Anna Maria Giannello.

– Che c'è? – chiese Simone, con già una gamba fuori.

– Niente, – disse Grazia. Abbassò il finestrino, e lo stesso fece la signora Giannello.

– L'avete preso –. Non c'era punto di domanda. Grazia
si chiese *ma come cazzo*, poi pensò: *D'Orrico*.

– Signora, come le ho già detto l'altra volta...

Anna Maria Giannello batté la mano sulla portiera del
Suv. Anelli e braccialetti risuonarono sulla carrozzeria come una raffica.

– Voglio solo la sua conferma. Voglio essere sicura e se lo
dice lei ci credo.

– Grazia, che succede?

– Niente, Simò, cose di lavoro. Vai dentro, ché ti rag-
giungo subito.

Simone non si mosse. Non voltò neanche la testa, ma già
la teneva puntata, l'orecchio teso verso Grazia.

La criniera leonina della Giannello occupava quasi tutto lo specchio del finestrino, ma si intravedeva lo stesso un
giovane al volante. E ce n'era un altro dietro, dello stesso
tipo. Grazia sospirò.

– Signora, a parte che non le direi niente comunque, se
il suo informatore l'ha informata bene, saprà che ci sono
ancora delle indagini da fare. Per cui sia gentile e mi lasci...

– Ha confessato.

Grazia voleva fare l'atto di aprire la portiera, solo per
dare piú forza alle sue parole, ma le sfuggí la mano e urtò il
Suv con un tonfo secco come un rintocco. Si chiese se avesse capito bene.

– Ha confessato, – ripeté la signora, come se le avesse letto nel pensiero. – Tutti e tre gli omicidi. Anche quello del
mio Enzino.

Le era rimasta la bocca aperta? Doveva avere un'espressione buffa, perché sulle labbra disegnate della Giannello
era comparsa la piega di un sorriso. Piú disprezzo che diver-
timento. Durò una frazione di secondo, poi la linea tornò
quella scolpita dal chirurgo plastico con un sottilissimo in-

serimento di silicone, cosí naturale da sembrare innaturale. Ma sempre dura, comunque.

– Grazie, – mormorò Anna Maria Giannello. Scomparve dietro il riflesso di sole che velò il vetro del finestrino del Suv, e in un attimo scomparve anche il Suv, come se non fosse mai esistito.

Grazia non aprí la portiera. Prima pensò *ma come cazzo*, impossibile, non poteva essere quello stronzettino lí, poi pensò *che cazzo*, forse c'era un errore, forse l'avevano informata male la signora, forse, poi pensò *cazzo!* perché le era tornata in mente la sua espressione dura, quel *grazie* a fior di labbra, ed era durato tutto la velocità di un pensiero, ma probabilmente era già troppo.

– Simò, cristo, il cellulare! – gridò Grazia, ma sí, la velocità di un pensiero era già sufficiente.

Sul display non era ancora apparsa la schermata di accensione che qualcuno nel reparto di isolamento diurno del carcere della Dozza aveva urlato *superiore!* e l'agente di guardia era uscito dal gabbiotto che stava allo svincolo tra i corridoi.

Grazia stava ancora digitando il Pin quando due detenuti con la tuta degli addetti alle pulizie avevano imboccato il primo corridoio a destra, spingendo il carrello fino alla porta chiusa della cella di Canterini.

Una chiamata senza risposta e nove messaggi di chiamata. Grazia ne evidenziò uno a caso, Carlisi o Matera, ma stava ancora suonando che uno dei due detenuti aveva infilato un pezzo di ferro nella serratura e lo aveva colpito col tacco della scarpa fino a rompercelo dentro, e quando Carlisi rispose *Grazia, ma dove cazzo eri finita?* l'altro aveva svuotato tutta la bomboletta di liquido per gli accendini addosso al Cantero, che sedeva sulla brandina di sotto, a un passo dallo spioncino aperto della porta blindata.

E mentre Grazia gridava al dottore di stare zitto e di ascoltarla e tentava di spiegargli quello che sarebbe successo, ormai stava già accadendo, con Canterini che correva, come una torcia accesa, e sbatteva contro i muri della cella, urlando, mentre gli agenti cercavano di aprire la porta bloccata.

Quando Grazia ebbe finito di parlare al cellulare e fu riuscita a spingere Simone fuori dalla macchina, gli agenti di custodia stavano inondando la cella con la schiuma polverosa degli estintori, ma non c'era più niente da fare.

Del Cantero restava soltanto una forma contorta e rugosa che per un riflesso condizionato ancora batteva i denti bianchi in una bocca senza labbra.

Che sia innamorato di Grazia ormai Pierluigi lo sa, ma che lo sia cosí tanto lo capisce appena la vede piangere. È una sensazione improvvisa che lo schiaccia tra lo stomaco e il cuore, forte come un vuoto d'aria in aereo, o un salto in altalena. L'istinto sarebbe quello di abbracciarla, e se fosse piú vicino lo farebbe, ma è abbastanza lontano da avere il tempo di trattenersi.

Grazia è ferma sotto un albero nel cortile della caserma di viale Panzacchi, appena fuori dalla palazzina del reparto operativo dove c'è stata l'ultima riunione. È uscita per prima e lui l'ha seguita, perché ha capito da come teneva strette le labbra che stava per succedere qualcosa. E infatti, anche se gli dà le spalle, si vede benissimo che si sta asciugando una guancia col dorso della mano. Cosí fa solo un passo e sta fermo lí, ad aspettare. In qualche modo lei se ne accorge.

– Tranquillo, – dice Grazia. – È sempre cosí quando sono sotto pressione. Mi metto a piangere.

– Qualche volta lo faccio anch'io.

Grazia si gira, perché una frase cosí da un uomo, e per giunta ufficiale e carabiniere, non se l'aspettava. Lui vede che c'è ancora una lacrima rotonda da bambina ferma in bilico su una guancia. Dio, che voglia di prenderla tra le labbra, ma solo il pensiero gli brucia sul viso fino alla radice dei capelli. Cosí sorride, dice soltanto: – Ma piú che altro mi viene un gran sonno e finisce che mi addormento. Strano, no?

Grazia si stringe nelle spalle. Asciuga anche quella lacrima con la punta di una nocca e a Pierluigi sfugge una smorfia di rimpianto che gli increspa appena le labbra.

– A me piace dormire, – dice Grazia. – Adesso non sempre ci riesco, ma una volta soprattutto, quando non avevo niente da fare, mi mettevo comoda in pigiama e andavo a dormire, anche durante il giorno.

Pierluigi annuisce, rapido. – Anch'io, – poi sorride perché lei sorride.

– Che discorsi da vecchi, Pierluí. Me lo offri un caffè? Ma non allo spaccio della caserma.

– Possiamo salire da me, nel mio alloggio.

Grazia sorride ancora e questa volta Pierluigi arrossisce, perché è un sorriso diverso.

– Che fai, capitano, ci provi? Guarda che sono già impegnata, convivo con un compagno da anni –. Potrebbe aggiungere *e sto per farci anche qualche figlio*, ma non lo dice.

Se Pierluigi fosse una macchina gli uscirebbe il fumo dalle orecchie. Lo sa che Grazia è impegnata, sa tutto di lei, sa tutto anche di Simone, ma non importa, non è neppure geloso. Ne è innamorato come si innamora lui, con questa voglia di vederla, di ascoltarla, di sentirla vicino che gli strozza il cuore, come un adolescente con la compagna di banco. Tutto qui, e se c'è qualcos'altro sta da un'altra parte, dentro di lui, dove non va a guardare.

Grazia lo ferma prima che si metta a balbettare.

– Scherzo. Ti ringrazio, ma non ho piú voglia di stare qui dentro. Andiamo fuori da qualche parte, cambiamo aria, dài.

Alla fine non è che avessero cambiato di molto. Erano andati fino a piazza Roosevelt, davanti alla questura, soltanto non nel solito bar da poliziotti ma in quello dietro l'angolo che aveva i tavolini all'esterno, sotto le mura del palazzo del comune. Ce n'era soltanto uno libero, mezzo al sole e mezzo all'ombra, e Grazia si era messa al sole, dal momento che poteva aprirsi la camicetta sulla canottiera, mentre Pierluigi era in divisa.

– Non è colpa tua, – disse lui vedendo che lei aveva ricominciato a fissare il vuoto, seria, mordendosi l'interno della guancia.

– Lo so che non è colpa mia. Non è colpa di nessuno, o almeno, quasi. La Deianna ha scaricato sulla polizia la responsabilità della fuga di notizie e ci ha buttato fuori dall'indagine. Che comunque è chiusa. C'è un colpevole plausibile, incastrato da una confessione, che è pure morto. Cosa vuoi di piú? Meglio di cosí…

– Fino al prossimo omicidio.

Grazia annuí. Smise di mordersi la guancia perché si era fatta male. Ci bevve sopra un sorso di caffè ancora caldo, che le bruciò, ma era quello che voleva.

– Neanche De Zan ne è convinto, – disse Pierluigi, – e infatti mi ha lasciato un po' di verifiche da fare. Sembra che questo Canterini fosse un millantatore, disposto a tutto pur di farsi prendere sul serio. Anche accollarsi qualche omidicio almeno per un po'. Ma per adesso questa è la versione che crea meno problemi. Un caso alla Sarah Game, te lo ricordi? – No, non se lo ricordava. Aveva cominciato ad annuire, ma si era fermata. – Quello che aveva iniziato ad ammazzare gente a Bologna secondo un gioco di ruolo che si era inventato lui… caso aperto e chiuso in un paio di giorni, basso profilo con la stampa, non se ne ricorda piú nessuno. E quell'altro, quello che ammazzava le prostitute a sprangate quando era in permesso dal carcere dove stava per averne ammazzato un'altra… Due serial killer nello stesso anno, cos'era? – Il secondo Grazia lo ricordava. Era il 2000, piú o meno. – Ecco, due serial killer in un anno, in una città come questa, e chi se li ricorda piú? Anche la Uno Bianca non la tira fuori quasi piú nessuno, almeno a livello nazionale. Tutto quello che avviene a Bologna si dimentica in fretta.

– È una città che non gli vuole piú bene nessuno.

– In che senso?

– Lo dice Matera. Questa è una città che non gli vuole piú bene nessuno.

Pierluigi arricciò le labbra per riflettere, poi si strinse nelle spalle.

– Io le voglio bene. Mi ci sono fatto mandare apposta. Oddio, me la ricordavo meglio, meno stanca, meno confusa, meno… meno piccola. Non c'è piú neppure la finestra di via Piella, quella che l'aprivi e sbirciavi una Bologna che sembrava Venezia. Adesso il canale è tutto aperto, lo vedi subito ed è anche bello, però… insomma, è una città che ha perso pure i suoi misteri.

– Il Cane però c'è ancora. O magari mi sbaglio io e ha ragione il tuo colonnello. Comunque, auguri per le tue verifiche, io sono fuori.

C'era un negozio di cappelli con una grande vetrina che si affacciava sulla piazzetta. Grazia li fissava senza vederli, pensava a Carlisi, al suo silenzio teso per tutto il tragitto dalla questura alla caserma dei carabinieri, e a quando le aveva stretto il braccio per un momento, prima di entrare nell'ufficio di De Zan, ma forte, *Grazia, li morti tòi, ti avevo detto di prendermelo, 'u Cane!* lasciandola a bocca aperta perché le aveva fatto male e perché in tanti anni che lavoravano insieme, anche se era salentino come lei, non le aveva mai parlato in dialetto.

– Cos'hai detto, scusa? Mi ero distratta.

– Ho detto che è un peccato. Io non ho la tua esperienza.

Grazia tornò a guardare la vetrina con i cappelli e questa volta li vide. Pensò che le sarebbe piaciuto averne uno. Il

sole picchiava forte. Allungò una mano e prese il berretto
che Pierluigi aveva appoggiato sul tavolino.

– Posso? Te stai all'ombra, ma io no.

Va bene, che si sia preso una cotta per lei questo lo sa.
Ma quando la vede sorridere sotto la tesa del suo berretto,
inclinato sulla fronte da una ciocca di capelli che si aggiu-
sta con le dita, si rende conto per la prima volta di quanto
la desideri. E adesso non è piú soltanto un vuoto tra lo stomaco e il cuore, il desiderio è un pugno improvviso, che gli
tronca il fiato fino a fargli venire la nausea.

Lei si accorge che c'è qualcosa che non va perché prima
dice *marò, Pierluigi, hai paura che passa un superiore e ti fa rapporto?* e sorride, poi però fa per toglierselo ma lui, anche se
sí, è vero, portata cosí, la fiamma, da quella ragazzina con
la camicetta aperta, le ginocchia tirate su e i piedi agganciati
alla sedia davanti, è abbastanza irriverente da sembrare una
profanazione, lui la ferma, con tutte e due le mani.

– No, no, tienilo pure, figurati.

Abbassa lo sguardo sul fondo schiumoso del suo cappuccino e per darsi un contegno annuisce con forza quando Grazia parla, accorgendosi solo un istante dopo che potrebbe
sembrare presuntuoso perché lei ha detto che di esperienza,
comunque, ne avrà anche lui, no, *no?*

– Sí, – dice Pierluigi. Nei carabinieri appena maggiorenne,
due anni di accademia a Modena, concorso riservato all'arma, sottotenente. Tre anni alla scuola ufficiali a Roma, via
Arenula 54, laurea in Legge, tenente, ventisettesimo al corso, servizio di battaglione a Palermo, due anni, ordine pub-
blico, vigilanza ai tribunali, maxiprocessi, stadio. Trasferito
al nucleo operativo radiomobile di Busto Arsizio, altri due
anni, promosso capitano, comando di compagnia a Brescia,
due anni ancora, nucleo investigativo di Bologna da meno di

uno, quando c'era andato anche De Zan e se l'era portato dietro. Indagini su criminalità comune, organizzata, omicidi, violenze su minori, ecocrimini e caporalato, perché quando stava a Brescia dirigeva anche i carabinieri dell'ispettorato del lavoro. Adesso comandante del nucleo investigativo di Bologna. A trentatre anni. Nessun serial killer, va bene, ma tutto il resto sí.

Però non se la sente di sciorinarle la sua carriera con quel desiderio che continua a strangolarlo piano, cosí ripete *sí*, e basta.

Lei lo guarda, un sorriso divertito che le tende le labbra e le aggrotta le sopracciglia, appoggiata allo schienale della sedia con le mani intrecciate dietro la nuca, sotto il berretto, e all'inizio Pierluigi pensa che lo faccia apposta, ma no, è sicuro che lei non si accorga dell'effetto che ha su di lui e questo accresce il desiderio, che adesso lo soffoca.

– Posso farti una domanda, Pierluí? Com'è che sei diventato un carabiniere?

Lo sapeva che era una domanda stupida, gliel'avevano fatta tante volte anche a lei, e sempre la voglia di mandarli affanculo era piú forte di quella di rispondere.

– Ci sono… – iniziò Pierluigi.

– Lo so, ci sono soltanto due mestieri di cui si chiede alle persone perché li fanno, il prete e il carabiniere… Vale anche per i poliziotti. A me lo chiedono sempre perché sembro una ragazzina. A te lo chiedo perché sei cosí… non so, cosí dolce.

Era un complimento. Pierluigi doveva averlo capito, perché sorrise.

– Cos'è, un carabiniere non può essere dolce?

– Tu lo sei in modo particolare.

Era un complimento anche quello.

– Siamo una famiglia di carabinieri. Mio nonno era un carabiniere, mio padre un maresciallo dei carabinieri e io sono un capitano, dei carabinieri.

– E magari hai pure un fratello, carabiniere. O una sorella, adesso.

Un accenno di sorriso triste. Grazia non fece in tempo a stare zitta e gli chiese che c'era.

– Ce l'avevo un fratellino, un fratello gemello...

Un gemello.

– ... ma è morto da piccolo.

– Oddio, mi dispiace... sono una scema.

– No, no, tranquilla. Ero piccolo anch'io, è stato tanto tempo fa. Avevo quasi cinque anni, – si strinse nelle spalle, ma non per indifferenza, – era malato. Vabbe', cose vecchie.

– Stupida io ad avertelo chiesto.

– Ma no, dài... E te, sei figlia di un poliziotto?

– No, mio padre ha un bar a Nardò. Dopo il diploma non volevo fare la ragioniera, mi sembrava che questo mestiere mi piacesse e cosí sono entrata in polizia.

– Cosí, senza nessuna spinta?

– Una piccola, una spintarella... mio zio è un commissario della stradale.

– Visto? – Pierluigi sorrise e strinse il pugno come se avesse afferrato qualcosa. – Beccata. Sei di famiglia anche tu. E ti è piaciuto, poi? Hai detto che ti sembrava.

– Sí, mi è piaciuto. Mi piace. Alti e bassi, ma va bene cosí. Mi piace questa cosa di...

Avrebbe voluto dire *cacciare* ma c'erano troppi ricordi, troppe emozioni e troppi mostri, per cui mosse le dita in circolo, e poteva voler dire qualunque cosa.

– E a te piace, Pierluí? Lo volevi fare fino da piccolo, il carabiniere?

– No, – di getto. – Cioè, sí, ma dopo. Io sono nato a Parma, ma ci sono rimasto solo fino a cinque anni, poi mio padre è stato promosso e trasferito in Calabria.

– Credo di capire.

– Comandava la stazione di Rosarno. Ci siamo rimasti altri cinque anni, prima di andare a vivere in Toscana. Ora, la Calabria è una terra bellissima e c'è un sacco di gente per bene, ma anche gente per male e parecchi cosí cosí. Con i figli dei pregiudicati non ci potevo neanche giocare, ok, ma per i cosí cosí ero comunque il figlio dello sbirro, per cui, insomma, ero sempre solo. Mio fratello era già malato e se ne è andato subito… vabbe', non è stato facile.

Grazia si sedette composta e si tolse il berretto di Pierluigi. Gli avrebbe anche stretto un braccio, con la mano, o lo avrebbe toccato comunque, ma lui era seduto troppo distante, dall'altra parte del tavolino, e teneva le braccia allacciate dietro la schiena, come se fosse legato.

– Mi sentivo in colpa e la odiavo questa cosa dei carabinieri. Quando mi chiedevano cosa volevo fare da grande dicevo ogni volta una cosa diversa, il dottore, l'astronauta, l'attore, ma mai il carabiniere.

– Poi, però, hai cambiato idea.

Pierluigi annuí. – È stato Checco. Il mio amico immaginario. Ce l'avevi un amico immaginario, da piccola?

– No. Avevo un sacco di amiche stronze ma tutte vere.

– Be', io con qualcuno dovevo pur giocare. A Checco i carabinieri piacevano, soprattutto quelli a cavallo. Cosí piano piano mi ha convinto. Immagino che ci sia un po' di materiale per uno psicologo infantile…

– E Checco dov'è finito?

– A un certo punto è sparito. Come Babbo Natale, ci credi e poi un giorno non ci credi piú. Io non me lo ricordo quando ho smesso di credere a Babbo Natale, tu te lo ricordi?

– Sí. Avevo sette anni. Ho fatto la posta al presepe per tutta la notte e ho beccato mia mamma che ci metteva sotto i regali.

– Madonna, io sono figlio di uno sbirro ma tu sei sbirra di natura!

Grazia lo guardò ridere e rise anche lei, e poi lo guardò di nuovo. Cosí, con quel volto liscio e rotondo, con quei capelli corti, sembrava davvero un bambino, lo immaginò nel cortile della caserma, a giocare da solo, e le venne una tenerezza cosí forte che un po' la mise a disagio, perché non era solo tenerezza. Poi Pierluigi si riprese il berretto.

– Siamo spariti anche noi e mi sa che prima o poi ci cercano.

– A te ti cercano, io sono disoccupata.

Grazia si alzò. Lasciò che Pierluigi infilasse una banconota da cinque euro sotto il portatovagliolini, assieme allo scontrino, poi la tirò fuori, gliela mise nel taschino della giubba e la sostituí con una manciata di spiccioli.

– Questa volta tocca a me, – disse. Pierluigí cercò di fermarla, ma aveva già digitato il numero della segreteria sul cellulare, che lampeggiava per indicare un messaggio.

– Perché sarai anche un ufficiale o un gentiluomo, – iniziò Grazia, ma si fermò subito.

Pierluigi si era bloccato davanti al tavolino, col cellulare all'orecchio.

Era pallido come un morto.

– Che c'è? – chiese Grazia, lo urlò. – Oh! che c'è?

Non è lui! Non è lui! Non è lui!

Si sentiva abbaiare un cane, prima forte, poi piú piano, come se si fosse allontanato un po', ma sempre cosí rabbioso e cattivo che Carlisi disse *oddio, non potrebbe essere un cane vero quello che ha morso* e poi *no, cazzo dico, c'è il Dna della bava*, a voce alta, perché era uno dei due che portava le cuffie. L'altro era Simone, che se le schiacciava sulle orecchie con le mani aperte, come per infilarsele dentro.

Grazia e il tecnico della scientifica, invece, si accontentavano di guardare il monitor del computer che riproduceva il messaggio registrato dalla segreteria di Pierluigi, che se ne stava in piedi, piú indietro, appoggiato allo stipite della porta, *scusate, ma è due giorni che lo sento*. Matera e Sarrina erano via per un servizio.

Il tecnico della scientifica era un ragazzo alto, con un ciuffo di capelli ricci schiacciati a metà della testa, come se portasse un frontino. Colpa delle cuffie, che aveva passato a Simone quando Grazia lo aveva fatto sedere sullo sgabello davanti alla consolle.

L'idea era stata sua, di Grazia. Aveva guardato il tecnico scomporre i suoni in base alle frequenze e disegnarle nel monitor su bande sonore che si gonfiavano isteriche come sismografi, cosí le era venuto in mente di chiedergli se un orecchio umano sarebbe stato piú utile di uno elettronico. Sí, a patto che fosse altrettanto acuto.

Simone lo era. Prima di conoscere Grazia aveva passato la vita ad ascoltare, isolato da un mondo che studiava da lontano, attraverso i suoni. Adesso non intercettava piú radio e telefoni cellulari con lo scanner, ma quella sensibilità, cosí intuitiva, ce l'aveva ancora.

Però non avrebbe voluto farlo, e non solo perché aveva già aiutato Grazia in una brutta indagine e quasi gli era costata la pelle.

– Avevi detto che stavi a riposo.

– Ci sto, a riposo.

– Devi stare a riposo. La dottoressa ha detto…

– Ci sto, a riposo. Scrivania. Ascoltiamo una registrazione, piú riposo di cosí.

– Ma non l'avevate preso?

– Sí, non lo so… bisogna essere sicuri. È giusto per stare tranquilli.

– Tranquilli, Grazia? Tranquilli? Come le altre volte?

– No, non è come le altre volte. E io ci sto, tranquilla, Simò, non mi faccio coinvolgere. È solo lavoro, te lo prometto.

Alla fine ci era riuscita, e adesso Simone stava appollaiato sullo sgabello davanti al monitor, le cuffie schiacciate sulle orecchie, le palpebre e le labbra strette. Fece cenno al tecnico di ricominciare da capo perché era stato disturbato da Carlisi, che annuí, appoggiandosi un dito sulla punta del naso.

Si sentiva abbaiare un cane. Forte, rabbioso e cattivo, strangolato dallo slancio, come se fosse alla catena, poi piú piano, in sottofondo, ma continuava.

Si sentiva una voce.

Mugolava, all'inizio, inciampava su una *n*, lunga e impastata, come se avesse dovuto farsi largo nel naso attraverso le lacrime, un lamento molle che all'improvviso diventava acuto, uno strillo da delfino ferito, *non è lui! non è lui! non è lui!* e continuava *non è lui!* continuava – quanto? – come un martello appuntito su una superficie metallica, *non è lui! non è lui! non è lui!* per un minuto almeno.

Si sentiva qualcosa, ancora piú sotto, sembrava musica, lenta, lontana, e una voce, diversa, piú chiara, ma cosí bassa che si distingueva appena. C'era fino dall'inizio.

Tutto insieme, il cane, la voce, la musica, *non è lui! non è lui! non è lui!*

Poi, all'improvviso, un'altra voce, forte, roca, potente come un'esplosione.

Che cazzo fai!

Silenzio.

Pierluigi si passò una mano sulla faccia, socchiudendo la porta come per prendere un po' d'aria. Lanciò un'occhiata a Simone, che ansimava, bianco, e stringeva il braccio di Grazia.

– Mi avevi detto… – mormorò, – mi avevi detto… Cristo, Grazia! Non ho mai sentito una voce cosí verde…

– Verde? – chiese Carlisi.

– Sgradevole, – disse Grazia. Simone rise, tra i denti, una risata corta e cattiva come un morso.

– Sgradevole? Sgradevole, Grazia? Questo è un pazzo, un mostro… cazzo.

Fece un cenno a mezz'aria, roteando l'indice in direzione del tecnico, come per dirgli di riattaccare.

– Glieli ho messi per frequenza… se vuole glieli faccio ascoltare separati.

– No. È tutto l'insieme che racconta. Dopo, magari.

Il cane. La voce. La musica. L'urlo.

Il cane. La voce. La musica. L'urlo.

Il cane. La voce. La musica.

– Pierluigi, vai fuori se ti senti male.

– Sí. Non dovrei neanche essere qui. A dire il vero neanche questa registrazione dovrebbe essere qui.

Respirò a bocca aperta e uscí dalla stanza, ma rimase appena oltre la soglia, di spalle, come se stesse origliando. Il gabinetto regionale di polizia scientifica della questura di Bologna stava in un antico convento del Seicento, in cima a uno scalone dalle volte altissime, e anche l'atrio e perfino le celle dei monaci in cui avevano ricavato gli uffici erano grandi e spaziosi. Quel laboratorio, invece, stava in fondo a un corridoio, in una stanzetta rettangolare, ristretta dagli scaffali di metallo su cui stavano le apparecchiature, dalla consolle da sala di registrazione e dalle casse. E Carlisi fumava, anche, una sigaretta dietro l'altra.

Le mani dietro la schiena, la nuca appoggiata al legno morbido dello stipite della porta, Pierluigi si chiede se sia soltanto quello, il fumo che si mangia l'aria, a dargli cosí fastidio da fargli girare la testa. È un pensiero di cui si vergogna, e allora rientra, e si sforza di guardare Simone, accucciato sotto il braccio che Grazia gli tiene sulle spalle, protettiva e materna, la testa appoggiata alla sua.

– Quel cane che c'è sotto, – disse Carlisi, – si può scoprire di che razza è? Magari è raro…

– Non è un cane, – disse Simone, e il tecnico della scientifica annuí. – È un uomo.

– Un uomo? Cazzo, sembrava proprio…

– No. La voce umana, anche quando urla o fa un verso, pronuncia sempre in qualche modo una lettera. Gli animali no. Questo è un uomo.

Il tecnico annuí ancora, poi si ricordò che Simone non poteva vederlo e disse: – Sí.

Pierluigi soffocò un conato dietro il dorso della mano. Grazia stava accarezzando la schiena di Simone, lentamente, come se non volesse disturbarlo. Pierluigi uscí dalla stanza e fece un paio di passi nel corridoio, ma tornò dentro subito.

– C'è un'altra cosa, – stava dicendo Simone. Puntò l'indice verso il tecnico, che capí al volo. Fece partire la registrazione dall'inizio, sul cane, la interruppe e la ripeté piú volte, a ogni colpo di dito di Simone.

Pierluigi uscí di nuovo. Arrivò fino alla finestra che si apriva sul corridoio e guardò fuori, tra le foglie dell'albero che occupava il centro del cortile.

È una quercia, pensa, poi torna indietro.

Simone parlava sull'abbaiare del cane, forte, spingendosi le cuffie nelle orecchie.

– È registrato. La seconda parte. Cioè, prima abbaia forte dal vivo, poi smette e si sente attraverso un altoparlante, come se lo avesse campionato. È lo stesso modulo, in loop.

Grazia gli tolse le cuffie, *stai gridando, Simò*. Gli strinse il braccio sulle spalle. Sussurrò *sei bravissimo*, e lui *dopo dobbiamo parlare*.

Carlisi si appoggiò allo schienale della seggiolina, le braccia alzate e le mani dietro la nuca. Sorrise a Pierluigi.

– Condividiamo? – disse.

– Be', parecchie cose ce le eravamo già studiate da soli…

– Per carità, capitano, ho visto la sua faccia sorpresa. Condividiamo, per favore.

Pierluigi sospirò, ripeté *non dovrei neanche essere qui*, poi prese fiato. Davvero gli girava la testa.

– Allora, premetto che il mio cellulare lo dò a chiunque, quindi avere il mio numero non è una discriminante. Il mio nome, poi, è finito sui giornali assieme a quello dell'ispettore Negro, come sapete, per cui… Comunque, la telefonata è stata fatta due giorni fa alle 7 e 45 del mattino. Non me ne sono accorto perché tengo sempre la vibrazione e dopo è iniziata la rumba delle riunioni in caserma con la dottoressa, era la mattina che hanno ammazzato Canterini.

– Ce lo ricordiamo, – disse Carlisi, cupo.

– 17 agosto, ore 7 e 45. Ha agganciato la cellula che serve parte del quartiere San Vitale, da piazza dell'Unità in su, fino alla stazione e al ponte di via Stalingrado. Impossibile essere piú precisi. L'utenza è una vecchia scheda prepagata, acquistata sei anni fa e intestata a un cittadino allora extra-comunitario di nazionalità romena. Ora, dal momento che in quel periodo ne aveva prese altre diciassette, viene da pensare che facesse da prestanome o che le vendesse a chi non voleva essere intercettato.

– E dov'è adesso il romeno?

– Stava a Piacenza, è morto l'anno scorso.

– Capitano, se dovessimo fare un bilancio di questo scambio…

– Non credo che neanche voi avreste potuto fare meglio. E poi gliel'ho detto, un po' di cose le hanno studiate anche i nostri tecnici. Abbiamo fatto un profilo delle voci, la prima appartiene a un giovane sotto i venticinque anni, meridionale, calabrese o siciliano. La seconda appartiene a un uomo piú anziano, anche se probabilmente sotto i cinquanta…

– Fuma, – disse Simone.

– Forse…

– Fuma molto. Ha la voce spessa e raschia nella gola, potrebbe anche essere piú giovane.

– Va bene. Nordico, padano, forse lombardo, forse emiliano-romagnolo.

– Romagnolo. Da come scivola sulle zeta. Si sente appena ma lo fa.

– Va bene, – questa volta gli è uscito un po' piú alto del normale, Pierluigi abbassa il tono, – va bene. Abbiamo la-

vorato anche sulla musica di sottofondo. È a un livello piú
basso sia del cane che delle voci, come se qualcuno suonasse
da un'altra parte.

– No, è registrata.

Pierluigi strinse i pugni. Strinse anche i denti, ingoiando
la saliva. Grazia guardava Simone con un sorriso ammirato
e aveva ricominciato ad accarezzargli la schiena.

– È troppo bassa, e se la si ascolta da sola, alzando il volume, il rumore di fondo copre tutto. Ma al suo volume naturale si sente che è troppo nitida. È registrata.

– Va bene, non importa. O meglio, importa, sí, ma per
adesso… Comunque abbiamo isolato qualche parola, *se, ri-
fletterete, onestamente, consistenza, ammazzato*… e cosí abbiamo trovato la canzone. Si chiama *La merda*.

– Come si chiama?

– La merda. Di Anton Virgilio Savona. Ce l'avete internet qui, no?

Il tecnico aveva già aperto la schermata del browser. Digitò *la merda* e *anton vigrilio savona*, per la fretta, Google lo
corresse in *virgilio* e gli dette 64 900 risultati in 0,49 secondi.
Il primo era *Canzoni contro la guerra – la merda*.

– No, direttamente su YouTube, per favore.

C'erano l'immagine della copertina di un disco anni Settanta, molto rossa, e subito dopo un'altra in bianco e nero,
con un uomo al pianoforte. Immagine fissa, segnata dalle
prime note di una tastiera, cosí acute da sembrare il trillo
di un mandolino.

– Ma non è quello del Quartetto Cetra? – chiese Carlisi.
– Quelli della *Vecchia fattoria*… sono io l'unico vecchione
che se li ricorda?

Pierluigi spinse sul tasto sinistro del mouse e la freccetta
che stava al centro dell'immagine si trasformò in due barre
parallele, bloccando il video.

– È lui. Ma non ha fatto solo quello. Era anche un cantautore molto impegnato, e molto arrabbiato. Scriveva anche per Giorgio Gaber. Ha preso una poesia di Enzensberger e ci ha fatto una canzone.

Pierluigi batté un altro colpo di indice sul mouse e sull'immagine apparve per un momento un triangolino grigio, sostituito dalla musica. Dopo le note acute era arrivato un accordo di chitarra, scandito come il tempo di un valzer ma morbido come quello di una ballata. Il maestro Savona aveva una voce gentile e ironica, almeno all'inizio.

Lei cosí tenera e pulita, | la base della nostra vita. | Lei che solleva dalle pene, | lei che ci vuole tanto bene. | E tra ogni cosa, in fondo in fondo, | la piú pacifica del mondo. | E tra ogni cosa, in fondo in fondo, | la piú pacifica del mondo...

– Ho stampato il testo. Quella che si sente nel messaggio in segreteria è solo l'ultima strofa.

Pierluigi aveva tolto un foglietto dalla tasca della giubba. Lo aveva preso Carlisi e lo stava leggendo assieme a Grazia. Simone invece si era messo le mani a coppa sulle cuffie, la testa piegata da una parte, lontano da loro che leggevano parlando. Aveva perso la seconda strofa e c'era già la terza.

Povera merda disgraziata, | sempre svilita e disprezzata | quando schifati ne parliamo | e il nome suo vituperiamo. | Mentre sappiamo che è innocente | e non ha colpa mai di niente, | mentre sappiamo che è innocente | e non ha colpa mai di niente. || Non la si deve maltrattare, | non la si deve confrontare...

Pierluigi: – Ovvio che il maestro Savona non c'entra niente, è morto nel 2009, però c'è una tematica antagonista...

Carlisi: – Vedo, *elmetti, manganelli, capitalista, sfruttatori...*

Pierluigi: – ... che un po' ha confermato a De Zan i suoi sospetti...

Grazia: – Ma dài...

– Siamo verso la fine, – disse il tecnico.

Simone incassò la testa nelle spalle, come se lo avesse sentito, ma era solo concentrato sulla musica e le parole. I suoni, soprattutto.

Se per un po' rifletterete | onestamente converrete | che perde presto consistenza | e ha una brevissima esistenza. | Mentre chi «merda» vien chiamato | muore soltanto se ammazzato, | mentre chi «merda» vien chiamato | muore soltanto se ammazzato.

Una pausa prima dell'ultimo *ammazzato*, poi la tastiera con una chiusura acuta, da mandolino napoletano, e due note di chitarra.

– Una canzone di protesta dei primi anni Settanta, al Cane è piaciuta l'ultima strofa e l'ha isolata. Questo, assieme alla scheda fantasma e al fatto che piú voci indicano piú persone, ha riportato il colonnello e la Deianna sulla pista degli anarchici. Adesso piú che un cane cerchiamo un branco...

– Non finisce lí.

L'aveva detto piano nonostante avesse le cuffie, perché lo aveva detto a sé stesso. Ma Grazia lo aveva sentito.

– Che dici, Simò?

– La canzone. Non finisce lí. L'ultima nota della tastiera è troncata e dopo ce ne sono un paio di chitarra, ma sono diverse, sembra l'inizio di un accordo.

Era cosí. A sentirla bene, anche la prima nota dell'accordo di chitarra era troncata, come se fossero state appiccicate insieme.

– Magari è una sbavatura del campionamento... – disse il tecnico, – non ha tagliato bene...

– No, è proprio un'altra canzone, con un'altra chitarra. E... posso dire un'altra cosa? È a questo punto che arriva quello piú anziano... – *che cazzo fai!* lo risentirono, – e poi si spegne tutto. Ma non la telefonata. Spariscono il cane e la musica, e solo un attimo dopo c'è il clic della comunicazione che cade.

Era vero anche quello. Lo ascoltarono piú volte, mentre il tecnico annuiva, poi Grazia prese il volto di Simone, le mani aperte sulle guance, e lo baciò rapidamente sulla bocca.

Dobbiamo parlare, disse Simone sulle labbra di Grazia, cosí piano che lo sentí solo Pierluigi, che cercava di non guardarli.

Non parlarono. Grazia lo sapeva cosa voleva dirle. Lui l'aveva avvertita la sua eccitazione, gliel'aveva trasmessa stringendolo troppo forte col braccio sulle spalle, battendogli il cuore contro il fianco, anche con il respiro gli aveva fatto capire che non aveva testa che per questo, l'indagine, la caccia. Il Cane. Pure il suo odore glielo diceva.

Ma lei non voleva parlarne. Non avrebbe saputo cosa dirgli, e poi, sí, la sua testa era tutta da un'altra parte e non vedeva l'ora di mandarlo via. Prima di riuscire a farlo riaccompagnare a casa da un agente gli aveva stretto le mani giurandogli di nuovo che era tranquilla, lavorava un altro po', tutta scrivania, chiacchiere da poliziotti, tranquilla, e poi tornava a casa. Aveva sentito che gli tremavano, le mani. Se glielo avesse chiesto, lui avrebbe risposto che era rabbia, e invece era paura. Ma lei non glielo chiese e lui non lo disse.

Aveva accettato l'offerta di un passaggio in questura con l'auto di Carlisi ma poi lo aveva lasciato andare da solo perché voleva camminare. Aveva bisogno di pensare a una cosa, anche se non sapeva ancora bene quale, e immaginava che una passeggiata in silenzio glielo avrebbe fatto capire.

Prima di lasciarla Carlisi le aveva detto un paio di cose.

La prima era che pensava che De Zan fosse un idiota. I cugini stavano prendendo una cantonata. Non ci credeva a un gruppo antagonista con quel poveretto del Cantero come killer. Se in quell'area c'era qualcuno con idee del cazzo gli dava credito di una visione politica piú complessa. Gli omicidi del Cane, che fosse da solo o in branco, sembravano piú cose da Bestie di Satana che da gruppi antagonisti organizzati. Va bene, non si può mai sapere, le idee del cazzo, in quanto tali, non hanno limiti.

In ogni caso, neanche i tizi della telefonata al capitano si poteva dire a che livello fossero coinvolti. C'erano due persone, il giovane e il vecchio, ed erano sospette perché sotto ce n'era un'altra che abbaiava, ma chi erano? Di sicuro non erano d'accordo, visto che uno aveva telefonato a Pierluigi e l'altro si era arrabbiato – presumibilmente proprio per quello – e aveva troncato la telefonata.

La seconda cosa era di scordarsi di quello che le aveva detto quando li avevano estromessi dall'indagine sciogliendo il gruppo interforze. Va bene, era deluso e arrabbiato, ma non voleva che questo la avvilisse. Voleva che tornasse a caccia e lo prendesse lei, il Cane. O i Cani, non importa. Ma doveva essere lei, dovevano essere loro. E chi se ne frega se non rientrava nelle competenze della sezione crimine organizzato e non l'avrebbero neanche dovuta ascoltare, quella registrazione. Se non fosse che Pierciccí aveva una cotta per lei. Be', si vedeva benissimo. Lo sapeva anche lei, se no perché era arrossita cosí?

Aveva rifiutato un passaggio per camminare, ma poi si era fermata ancora in cima allo scalone che portava fuori dalla scientifica. Si era seduta sul primo gradino, allacciandosi la camicetta sul seno perché tra quei muri spessi da convento faceva fresco, e aveva cominciato a mangiarsi la guancia, le braccia strette sulle ginocchia sollevate. Di Pierluigi si era già dimenticata, non era neanche sicura di essere arrossita per davvero, poteva anche essere uno scherzo di Carlisi. Lo aveva salutato in fretta quando se n'era andato perché già stava pensando a quella cosa che le girava in testa, indistinta. Aveva a che fare con la dinamica di quel messaggio, che non tornava.

Allora, il Giovane prende il cellulare e chiama Pierluigi. Perché? Per dirgli che il Cane, il pazzo rabbioso che vuole mangiare il cuore alle sue vittime, non è Canterini. No, un momento: per dirgli che *non è lui*, ma date la tempistica e la situazione tutti avevano pensato che si riferisse al Cantero e al Cane, e lo pensava anche lei. Quindi il Giovane vuole dare un'informazione a Pierluigi – o a loro in generale –, in un certo senso vuole fargli un favore come se stesse con loro.

Ok.

Cosí prende il cellulare e chiama mentre il Vecchio sta registrando qualcosa, un uomo che abbaia, lo campiona e lo riproduce, con cosa? Una consolle? Un programma in un computer? Sotto, intanto, c'è una canzone, che sta andando da sola, come se ci fosse un altro registratore in funzione, o una pagina rimasta aperta, tipo iTunes, o YouTube, o un blog, qualunque cosa.

In ogni caso il Giovane chiama Pierluigi con il Vecchio che gli sta accanto, vista la contemporaneità dei suoni, ma il Vecchio non è d'accordo e lo ferma. Ci sono almeno tre persone, quindi: quello che abbaia, il Giovane e il Vecchio, che come diceva Carlisi non sono d'accordo tra di loro, uno vuole aiutare Pierluigi e l'altro gli dice *che cazzo fai*. Uno di loro è il Cane, magari quello che abbaia, oppure no, hanno a che fare con lui, tipo una family come quella di Charlie Manson (*chiamare Picozzi e chiedere*, si appuntò mentalmente).

Ok, ma non è questo il punto.

Grazia si alzò perché c'era qualcuno che stava salendo le scale e non voleva farsi beccare cosí, seduta per terra. Fece un paio di gradini e si fermò di nuovo, in piedi questa volta, proprio sotto l'ingrandimento dell'*Uomo vitruviano* di Leonardo stampato sulla parete color crema.

Il punto è che il Vecchio lascia fare il Giovane per quasi un minuto e poi lo ferma. Ma quando lo ferma non gli chiude la telefonata, no, gli spegne prima l'audio. Eccolo lí, il punto. Al Vecchio quello che interessa non è quello che dice il Giovane, ma la canzone. E non quella che c'è sotto fin dall'inizio, *mentre chi «merda» vien chiamato | muore soltanto se ammazzato.*

Quella nuova. Quella che inizia con le prime note dell'accordo.

È allora che grida *che cazzo fai!* e per prima cosa spegne quella e poi la telefonata.

Cos'è quella canzone.

Perché è cosí importante.

Grazia si staccò dal muro perché quelli che stavano salendo erano arrivati e avevano girato l'angolo, ma si fermò subito vedendo che erano Matera e Sarrina. In mezzo, tenuto per le braccia, la giacca piegata sui polsi a nascondere per metà un paio di manette, c'era D'Orrico.

– Fotosegnalazione, – disse Matera, – la Deianna si è decisa a fargli un mandato di custodia.

– Prossima destinazione, la Dozza, – disse Sarrina.

D'Orrico non disse nulla. Teneva la testa bassa, il mento sul petto, e passò accanto a Grazia senza guardarla. Poi, all'improvviso, scattò, tirandosi indietro, sfuggí alla presa di Matera e trascinò Sarrina giú per un paio di gradini.

– Non sono stato io! – gridò in faccia a Grazia, che fece un passo indietro, la mano sotto la camicia, sul calcio della pistola. – Non sono stato io, cazzo! E come minchia facevo?

Si divincolò sotto la mano di Matera che gli piombava sulla testa mentre l'altra lo afferrava per un braccio. Sarrina lo colpí con un pugno corto in mezzo alla schiena. D'Orrico incassò con un ringhio ma non fece niente per difendersi, fece solo un altro passo in avanti, verso Grazia.

– Quando mi hai denunciato mi hanno messo sotto controllo stretto e io ero contento, cosí non gli potevo piú fare

favori alla signora… non gliel'ho detto io della confessione
del ragazzo! Ci avevo la scusa, ero bruciato!

Grazia fermò Sarrina che stava per colpire di nuovo.
D'Orrico si avvicinò ancora, ansimando.

– E che, sono scemo? Su di me c'era solo un sospetto, la
mia parola e la tua, mi ero già messo sotto il sindacato. Me
la cavavo con un trasferimento. E invece ora, guarda… –
alzò i polsi ammanettati. – Perdio, Grazia, non sono stato
io… non sono stato io!

E continuò a ripeterlo mentre saliva lo scalone, tenuto per
le ascelle da Matera e Sarrina, mentre Grazia si appoggia-
va al muro, il sedere sui piedi nudi dell'*Uomo vitruviano*, la
fronte corrugata in una piega profonda tra le sopracciglia, a
strapparsi pezzetti di pelle con gli incisivi.

Troppa gente, pensò, *troppo casino*.

Il Giovane chiama Pierluigi per avvertirlo.

Qualcuno chiama la madre di Enzino.

Chi, il Vecchio?

Il Cane?

Chi?

La foto non mi dice un cazzo di niente. C'è una donna, quasi anziana, sembra anziana, con i capelli corti e una faccia piatta, quadrata, una ruga che le cerchia il collo e piccole macchie sul dorso delle mani.

Non mi dice un cazzo. Guardo il vestito di raso, la collana di perle, tiene in mano un quadro dove sembra che ci siano dei gatti con tanti occhi e dietro un ritratto, deve essere lei perché ci assomiglia, sorride, piú giovane, e porta un paio di occhiali dalla montatura trasparente.

Anche la musica non mi dice un cazzo. La pallina del cursore va avanti e indietro sulla voce di una donna, sarà lei, no, è piú giovane di quando era piú giovane, canta *Christine, the strawberry girl | Christine, banana split lady*, persa dentro un giro di chitarra che la attorciglia come una spirale sotto il picchiare ipnotico di una batteria. La fermo, so come fare, metto la freccia sul tasto con le due righine dritte e la pallina si blocca.

Anche l'altra l'ho fermata cosí. Voglio cancellarla, ma porca puttana, non ci riesco, non quella che parla della merda, quella mi piace, anzi, è vero, chi «merda» vien chiamato muore soltanto se ammazzato, no, quella che ci ha messo dopo, stupido, stupido, stupido.

Quella non riesco a toglierla.

Era lui che ci metteva le cose, le fotografie, la musica, le registrazioni, io so solo muovere la freccina e cliccare, sposta-

re la pallina nel punto giusto della striscia bianca e lasciarla
andare, triangolino e righine, musica sí, musica no, e basta.

Faceva tutto lui.

Ma lui non c'è piú.

Stupido, stupido, stupido, l'ha messa apposta quella canzone, ha registrato il cane, e va bene, ha chiamato il capitano, e va bene, gli ha detto che non è lui, non è lui, non è lui,
e va bene, ma stupido, stupido, stupido, voleva dirgli tutto,
stupido, stupido, stupido, e allora io ho liberato il cane, gli
ho sganciato la catena dal collare e l'ho lasciato partire a bocca spalancata, e lui non ha avuto neanche il tempo di urlare,
solo sgranare gli occhi, con le mani in alto, la gola squarciata
da un morso, sbattuto di qua e di là sul pavimento.

E adesso non c'è piú.

Stupido, stupido, stupido stronzo.

E io non so come fare per togliere quella canzone.

Solo triangolino e righine, musica sí e musica no.

Prima o poi se ne accorgeranno. Perché qualcuno viene
a guardarlo questo blog, lo leggono, lo ascoltano e ci scrivo-
no anche sopra.

#1: *hai ragione! ammazzali tutti quei figli di puttana!*

#2: *sono con te! mangiagli il cuore!*

#3: *basta che non siano politici, quelli non ce l'hanno un
cuore.*

#4: *facciamo una lista?*

Cosí Fatima e Mohamed Roberto
stamane non ho salutato
ieri sera ero davvero stanco
però un poco abbiamo giocato
poi li ho guardati dormire
per un'ora coprendo la luce
han sorriso per tutto il tempo
questa vita ancora gli piace
han sorriso per tutto il tempo
questa vita ancora gli piace.

ANDREA BUFFA, *Il sogno di volare*

Parte terza

Un servu e un Cristu

E tu forsi chi hai ciunchi li vrazza,
oppuru ll'ha 'nchiovati com'a mmia
cu voli la giustizia si la fazza
non speri ch'autru la fazza pe ttia
si tu si' omu e non si' testa pazza
metti a profittu 'sta sintenzia mia
jò non sarría supra sta cruciazza
s'avissi fattu quantu dicu a ttia!

[Che sono paralizzate le tue braccia,
oppure sono inchiodate come le mie?
Chi vuole la giustizia se la faccia
e non si aspetti l'intervento altrui
se sei un uomo e non una testa matta
metti a profitto questo mio consiglio
adesso non sarei su questa orrenda croce
se avessi fatto ciò che dico a te!]

MATTANZA, *Un servu e un Cristu,*
da un canto popolare siciliano.

Per quindici giorni non successe niente.

Il Cane non attaccò piú nessuno, né in Emilia-Romagna né nel resto d'Italia e probabilmente neanche all'estero. Tutti i giorni Matera e Sarrina controllavano segnalazioni, informative e denunce di atti di violenza, aggressioni, ferimenti e omicidi, mentre da parte sua Pierluigi faceva lo stesso con quelle dei carabinieri, e poi, anche se non avrebbe dovuto, le confrontava con Grazia.

Niente.

Nessuna vittima che si avvicinasse alla tipologia di quelle del Cane, nessun *modus operandi* simile, e soprattutto niente morsi. Anzi, quasi fosse una presa in giro, in quel periodo le statistiche criminali registrarono un calo di reati violenti del quattro per cento rispetto all'anno precedente, con due soli omicidi, tutti e due attribuibili a una faida di 'ndrangheta nel bergamasco.

Carlisi: Ma il professore non aveva detto che stava a rota e che avrebbe ammazzato qualcuno?

Grazia: Conferma. Dice che o è impossibilitato a uccidere perché è morto o sta male o è in galera, oppure ha già ucciso e ancora non ce ne siamo accorti.

Sarrina: Magari l'ha mangiato tutto.

Grazia: Fanculo, Sarrí.

Carlisi: Sí, Sarrina, vaffanculo.

Niente neanche dal punto di vista delle indagini. Grazia
ripassò tutte le segnalazioni che aveva ricevuto su persone
con un comportamento violento sospetto, le allargò a un
raggio piú ampio e le precisò con quello che era emerso sulla
personalità del Cane. Si concentrò su chi mordeva, escluden-
do le donne e quegli uomini che non rientravano nel campo indicato dalla voce registrata nella segreteria di Pierluigi, ma non trovò nulla di utile. C'era un sacco di gente che
quando picchiava mordeva anche, ma nessuno che potesse
essere il Cane.

E niente neanche riguardo alla canzone interrotta cosí
bruscamente dopo due note. Il tecnico della scientifica aveva
elaborato un programma di riconoscimento, ma il materiale a disposizione per il confronto non era sufficiente ed era
venuta fuori una lista di milleduecento canzoni.

Grazia aveva lavorato anche su quello che le aveva detto
D'Orrico. Era andata a trovarlo alla Dozza e lui le aveva ri-
petuto che non c'entrava niente, che non era stato lui a informare la madre di Enzino. Non aveva idea di chi potesse
averlo fatto, magari avevano altri informatori come lui, magari tra i carabinieri, magari un magistrato, chissà. Grazia
non aveva insistito, anche perché non aveva molto tempo.
Era passata dal carcere una mattina che stava andando alla
clinica per le analisi del sangue, e per la prima volta aveva
altro per la testa che non soltanto il Cane e i suoi omicidi.

Da qualche giorno si sentiva strana.

Le faceva male la pancia, piccoli crampi veloci che stavano a metà tra un attacco di colite e uno di fame, ma non
erano nessuno dei due, e neppure con le mestruazioni c'en-
travano niente. Le si era gonfiato il seno, lo sentiva sotto
la maglietta, poco, ma le sembrava di avere anche i capez-
zoli piú sensibili, quando ci pensava. E poi, una delle rare
volte che avevano cenato insieme, Grazia aveva allontanato

gli spaghetti dopo un paio di forchettate, Simone le aveva chiesto cosa c'era che non andava nel suo ragú e lei gli
aveva risposto che niente, buonissimo come al solito, era
un gran cuoco, migliore di lei sicuro, ma aveva la nausea.

La nausea.

Aveva faticato a frenare Simone (*con tutto il progestero-
ne che mi fanno prendere, Simò*) ma lui si era quasi messo a
piangere (*Grazia, lo sai, io le cose me le sento*) e comunque la
mattina dopo doveva andare a fare l'esame.

L'aveva fatto, ma non era rimasta ad aspettare il risultato, troppo tempo (*appena sa qualcosa mi chiama al cellulare,
dottoressa, grazie*), e per non sentirsi piú cosí confusa e cosí
strana come era in quel momento aveva ricominciato a pensare solo alla sua indagine, alla sua caccia, che non andava
da nessuna parte.

Il silenzio del Cane, invece, aveva dato forza alla teoria di De Zan. Il sostituto procuratore Deianna stava con-
vincendosi seriamente che forse ci avevano azzeccato ar-
restando il Canterini. I carabinieri avevano lavorato sugli
accessi alla canzone di Anton Virgilio Savona, erano partiti
da YouTube con l'intenzione di estendere la ricerca fino
a eMule, ma tra le ottomila e passa visualizzazioni del primo video avevano trovato subito l'indirizzo Ip del computer di un anarchico bolognese amico del Cantero, già fermato nelle retate, e anche se lo stesso De Zan diceva che
era ancora presto, la Deianna si era appassionata alla pista
e aveva firmato deleghe a raffica per mettere tutto il giro
sotto controllo. Ma con cautela, per evitare fughe di notizie. Tanto c'era tempo. Canterini era morto, e infatti da
quindici giorni il Cane non aveva ammazzato piú nessuno.

Poi erano successe due cose.

La prima era che la dottoressa aveva chiamato Grazia e
le aveva detto che era incinta.

Grazia aveva risposto senza neanche guardare chi era in un momento in cui stava ragionando assieme a Matera su chi poteva aver telefonato a Pierluigi, posto che il suo numero di cellulare ce l'avevano in tanti e che certi dettagli, come i morsi, erano finiti sui giornali, ma nessuno aveva mai accennato a un cane. Vibrazione, *sí*, *pronto*, poi la voce della dottoressa, *signora Negro, ho i suoi risultati* e Grazia era uscita cosí in fretta dalla stanza che poi Matera le aveva chiesto *è successo qualcosa?* e lei *no, niente, niente*, ma si vedeva che era di nuovo confusa.

– Guardi, non voglio guastarle il momento ma neppure crearle delle false speranze che poi fanno peggio. Potrebbe essere un falso positivo, succede molto spesso, anzi, per essere sicuri dobbiamo fare un altro esame Beta-Hcg fra un paio di giorni, adesso il valore è di 11, è incoraggiante, ma ripeto, calma per un altro paio di giorni. Sempre che nel frattempo non le siano venute le mestruazioni, ovvio. Va bene? Fiduciosi, ma calma.

Quella sera Grazia era rimasta in ufficio dopo che se ne erano andati tutti. Quello che le aveva detto la dottoressa le era rimasto in testa, a spingere e scalciare come un feto, a crescere fino a buttare fuori tutti gli altri pensieri.

Non vedeva l'ora di rimanere sola. Non sapeva cosa dire a Simone, falso positivo, figurati, non avrebbe neppure accettato il concetto, neanche lontanamente, ma se poi non era vero? Gli mandò un messaggio, *tardo un po' non mi aspettare arrivo dopo*, e si abbandonò contro lo schienale della poltroncina, le gambe dritte e i piedi appoggiati al bordo della scrivania. Le faceva male la pancia.

Allacciò le dita dietro la nuca perché la poltroncina non era cosí alta da sostenerla, poi si alzò e andò a sedersi su quella di Matera che stava piú contro il muro, e riusciva ad appoggiare la nuca sul davanzale della finestra. Voleva togliersi le

scarpe ma rinunciò, perché si sentiva gonfia e non aveva voglia di sforzarsi a tirarle via. Le faceva male la pancia.

Pensò ai gemelli, alle faccine urlanti del sogno, al latte che
traboccava fuori come in un film dell'orrore, chi, chi dei due
doveva mangiare?

Lo sapeva cosa significava quell'incubo. Paura. Paura di
non essere pronta a fare la mamma. Paura di diventare una
mamma. Paura di cambiare tutto, paura di non essere più
quella di prima, paura di diventare un'altra cosa, paura di
crescere?

Piano, si disse, si fa presto a fare della psicologia da quattro soldi, lei era abituata a stare ai fatti, e i fatti, in questo
caso, erano i sentimenti, anzi, un sentimento.

Felicità.

Era felice oppure no? Tutto lí.

Il problema era che non lo sapeva. Era confusa, il davanzale tiepido le premeva fastidioso dietro il collo e le faceva
male la pancia e lei non lo sapeva se era felice oppure no.
Ok, era ancora presto, falso positivo, va bene, però non ci
riusciva a essere calma come voleva la dottoressa, i pensieri
viaggiavano in fretta tra il cuore e la mente, le si fermavano
in gola, a strangolarla, e se non ci fosse stata quella paura
– il sogno era solo un sogno, le faccine solo un simbolo, sí,
però se le vedeva – se non ci fosse stata, allora, allora, allora, sarebbe stata felice, ecco.

Felice.

Se fosse stato vero, va bene, calma, potrebbe essere un
falso positivo, le tette gonfie, 11, se non arrivano le mestruazioni, va bene, ancora un paio di giorni, se fosse vero.
Come si sentiva? Male. Spaventata, confusa, strangolata e
un po' felice.

Felice.

Poi, all'improvviso, uno strappo dentro la pancia. Morbido e lento come carta bagnata che si straccia.

Grazia strinse le ginocchia cercando di trattenere quella sensazione umida e vischiosa tra le gambe, quasi potesse rimandarla indietro. Si alzò dalla poltroncina con la mano aggrappata al cavallo dei jeans e andò nel primo bagno che trovò nel corridoio, che era per gli uomini ma non importava. Chiuse la porta, ci si appoggiò contro con le spalle, si slacciò cintura e bottoni e fece scendere i calzoni lungo le gambe, la fondina con la pistola che batteva sul pavimento. Non aveva controllato se la carta igienica c'era e per fortuna sí, c'era, un rotolo nuovo, che fece scorrere con forza, piú del necessario. Si tamponò sotto le mutandine, che si erano sporcate appena, asciugò una striscia sottile di sangue lungo l'interno della coscia e poi prese altra carta, ancora piú del necessario. Non ci aveva pensato proprio, era il periodo ma se ne era dimenticata, come del resto le succedeva spesso, e di assorbenti dietro non ne aveva e figuriamoci nel cassetto della sua scrivania, di riserva. Cosí piegò la carta igienica in un rettangolo morbido e spesso come un materasso e lo infilò sotto la stoffa delle mutandine, tirandosi su i calzoni fino a metà della pancia.

Pensò *e va bene*, ma non uscí. Tornò con le spalle appoggiate alla porta, le cosce strette, il cavallo dei jeans che le premeva tra le gambe fino quasi a farle male.

Voleva ripetere *e va bene*, sempre soltanto col pensiero, ma le uscí un sospiro corto come un singhiozzo. Strinse le labbra, premendo sul labbro di sotto, perché sentiva che stava cominciando a tremarle, tirò su col naso perché si stava chiudendo, chiuse anche i pugni ma poi sbatté le palpebre e si trovò gli occhi pieni di lacrime che le appannavano la vista.

Allora si arrese, si staccò dalla porta, affondò il viso nell'incavo di un braccio e si mise a piangere appoggiata alla cassa dello sciacquone, gemendo forte come una bambina.

Due cose.
La prima: la telefonata della dottoressa.
La seconda: anche quella una telefonata, sempre per Grazia.
Dalla polizia postale.

Era successo che come ogni giovedí pomeriggio a Seregno, provincia di Monza e Brianza, un genitore preoccupato (si firmava sempre cosí sul forum Aiutiamoli A Crescere.it: GenitorePreoccupato78) era entrato nella camera del figlio quindicenne che era a nuoto, si era seduto alla sua scrivania Ikea modello Micke, aveva acceso il computer e aggirato la password («caro GenitorePreoccupato78, quando regali il computer a tuo figlio assicurati di inserire tra i comandi...»)

Per prima cosa il genitore preoccupato era andato su internet a controllare la cronologia dei contatti dell'ultima settimana, trovando la solita serie di siti per scaricare clandestinamente musica e film («ricordati sempre di controllare anche la finestra del download...»), videogame per giocare online, YouTube, due siti porno non a pagamento («tollerati perché utili a controllare la correttezza delle sue inclinazioni»), Facebook, Google e una decina di indirizzi che ancora non conosceva.

Facebook l'aveva ignorato, era già amico di suo figlio con un falso nome (Giovanna, bella foto di ragazza sorridente), e gli altri siti rappresentavano innocui interessi di adolescente.

Tranne uno.

Era un blog e il figlio ci era arrivato per caso, attraverso una ricerca su Google («cerco riassunto del *Vecchio e il mare* di Hemingway»), ma era inquietante.

Stranamente inquietante.

Al genitore preoccupato le foto, la musica, ma soprattutto quelle parole disperate, *c'è qualcuno che può aiutarmi là fuori?* erano rimaste in mente, tanto da farlo dormire male, quella notte. Si era trascritto l'indirizzo, www.diariodibordonumerouno.splinder.com, e cosí la mattina dopo, in ufficio, si era collegato al blog, l'aveva fatto scorrere sullo schermo con un brivido e poi aveva fatto una segnalazione alla polizia postale e delle comunicazioni («ma soprattutto ricordate, al primo sospetto andate su Commissariato Online...»)

Era successo che alla polizia postale di Milano un ispettore aveva notato la segnalazione ed era andato a controllare.

Non aveva trovato niente di piú di qualche infrazione al diritto d'autore e qualche vaga apologia della violenza, pure quella molto comune sul web, ma anche lui era rimasto colpito da una frase. Non la richiesta d'aiuto che aveva turbato il genitore preoccupato, la frase prima.

Verrò a cercarvi uno per uno e vi mangerò il cuore!

Allora si era ricordato di una richiesta di informazioni da parte della questura di Bologna, era andato a leggersi bene l'e-mail circolare e chi la mandava, poi aveva alzato il telefono, aveva chiamato Bologna e si era fatto passare Grazia.

Era successo che Grazia aveva mollato la valigia con le sue cose nell'ingresso dell'appartamento di Simone (*non ti voglio piú vedere, Grazia, almeno finché non hai capito cosa vuoi fare con me, con te e con tutto il resto. Sí, vaffanculo, Grazia,* vedere, *non fare la finta spiritosa, lo so che stai piangendo anche tu!*) e con ancora le lacrime agli occhi era corsa in ufficio, e Carlisi aveva detto *cazzo!* e poi *muti con i carabinieri, ce la vediamo prima noi*, e si erano collegati al blog, Carlisi aveva detto di nuovo *cazzo!* poi era arrivato il cane che abbaiava e allora non aveva detto piú niente, tutti zitti ad ascoltare *La merda* e anche la canzone che veniva dopo, eccole quelle due note, proprio loro, e poi l'arpeggio, il gi-

ro ripetuto tre volte e la voce, *Da giovane avevo un sogno,* |
volare come un uccello.

Allora Carlisi aveva cominciato a urlare, anche se Grazia
voleva continuare a sentire, ma dopo, c'era tempo dopo, adesso bisognava fare in fretta, rintracciare il server che ospitava
il blog e farsi dare i dati del blogger (Mario Rossi, mario83@
libero.it, maschio, *tutte cazzate, va bene*), trovare l'indirizzo
Ip del computer che l'aveva generato (87.16.56.35, Nazione:
Italia, Regione: Emilia-Romagna, Città: Bologna, BO, *minchia*,
via Antonio Gandusio, provider Telecom Italia), l'utente a
cui corrispondeva la connessione internet (Bianconcini Maria Clelia, *mi ricorda qualcosa*), via Antonio Gandusio 105
(tre appartamenti, intestati a Bianconcini... *indovini un po',*
dottore, se la ricorda la tipa massacrata dal Cane?), era ancora
collegato (*vai, tutti fuori, andate a prenderlo!*)

Cosí era successo che Grazia, Matera e Sarrina si erano
ritrovati a guardare la tromba di una scala che saliva per tre
rampe, incorniciata da un corrimano smaltato anni Settanta,
tutto il palazzo era cosí, doveva essere sembrato già vecchio
e fuori moda appena l'avevano costruito. Si erano scambia-
ti un'occhiata e Matera aveva detto *stiamo salendo*, nella radio, agli altri due che aspettavano fuori, in strada, agli angoli opposti del palazzo, per sorvegliarne i lati cercando di
non dare nell'occhio.

Pistola in mano, braccio lungo il fianco e un po' dietro la
coscia, perché non si vedesse subito, erano saliti fino al primo
pianerottolo e Grazia aveva bussato, pronta a dire qualcosa
su una raccomandata, ma avevano aperto subito. L'africa-
no in mutande e canottiera era finito contro il muro, schiacciato da Matera, pistola tenuta alta perché la vedesse bene.

Due stanze ai lati di un corridoio, una per Grazia e una
per Sarrina.

Vuote.

Un bagno in fondo al corridoio.

Vuoto.

– Via, – disse Grazia, – non è qui, – perché aveva visto i quattro letti a castello schiacciati contro le pareti delle due stanze, totale otto persone in cinquanta metri quadrati (*minchia, neanche in carcere*, aveva detto Matera) e c'erano vestiti dentro borse di plastica ma non c'erano computer e poco prima di entrare Carlisi aveva confermato che l'utente era ancora collegato.

Secondo piano, *raccomandata, serve una firma, per favore*, e questa volta aprí una ragazza in accappatoio, scalza, i capelli arruffati sugli occhi ancora gonfi di un sonno interrotto. Sbuffò seccata tra le labbra troppo piene e porse a Grazia un pacchetto tenuto insieme da un elastico. Alle sue spalle, stesso corridoio e due porte, e da una, per un momento, un'altra ragazza troppo piena, in mutandine e reggiseno, si affacciò rapida per lanciare all'altra un pacchetto identico.

Carta di identità, permesso di soggiorno e passaporto brasiliano *ma per favore, quando viene a controllare non viene di mattina che noi dormiamo noi di notte lavora.*

Ultima rampa.

Lí Grazia e gli altri si fermarono, perché appena si avvicinarono alla porta la sentirono subito, la musica, piano, pianissimo, ma c'era.

Grazia suonò il campanello, cercando di tenersi il piú possibile fuori dallo specchio della porta, ma era inutile, perché il pianerottolo era troppo piccolo.

Non rispose nessuno.

Grazia suonò ancora, due volte, la seconda a lungo, ma ancora niente. Allora annuí, e Matera, che anche se era il piú vecchio restava il piú massiccio, si appoggiò a Sarrina, alzò una gamba e di piatto, con la suola della scarpa, come un ariete, sfondò la porta staccando la serratura dallo stipite.

Dentro.

Pistola a due mani, pollice su pollice loro, tazza e piattino per Grazia, per cui la 92 era sempre stata un po' pesante e doveva sostenere il pugno chiuso con il palmo della mano.

Davanti a loro c'era un corridoio corto di graniglia bianca e nera che finiva in quello che sembrava un bagno. Una porta a sinistra e una a destra poco piú avanti. Quella a sinistra era socchiusa e lasciava intravedere la testiera di un letto riflessa in uno specchio. Quella a destra era chiusa, ma dietro il vetro smerigliato che la sagomava al centro c'era qualcosa, un riflesso, che si muoveva. Si sentiva anche una voce che gridava, ma ancora lontana, evidentemente registrata.

Grazia si avvicinò. Percepí con la coda dell'occhio Sarrina che apriva l'altra porta, lentamente, ma già sapeva che non c'era niente, che stava tutto dietro quel vetro opaco e in rilievo come il dorso di una tartaruga. Cercò di guardarci attraverso ma era impossibile, allora appoggiò l'orecchio al telaio di legno, stando attenta a non muoversi davanti al vetro.

La voce era registrata, e c'era musica sotto, era una canzone. Finiva e ricominciava da capo, la voce di un uomo, roca e disperata, che gridava sempre la stessa cosa.

Grazia toccò la maniglia, aspettò che gli altri si mettessero in posizione, poi trattenne il fiato e spalancò la porta.

Dentro non c'era nessuno.

Soltanto un computer acceso, con le immagini di un blog sullo schermo.

Al centro della pagina un video, un uomo che apriva gli occhi e si voltava a guardare con uno sguardo che faceva paura, e poi di nuovo, occhi aperti e sguardo, occhi aperti e sguardo, con un salto, un taglio tra un movimento e l'altro, che lo rendeva ancora piú innaturale.

Non guardava Grazia, ferma in mezzo alla stanza con la pistola puntata. Sembrava guardare dietro di lei, alla parte

interna della porta che non aveva spalancato del tutto, ai
segni profondi sul telaio di legno che sembravano fatti da
un animale.

Can you see the real me, continuava a gridare la voce disperata, *can you?*

– Billy Milligan, – disse Picozzi, indicando lo schermo del computer di Carlisi.

– No, sono gli Who di *Tommy*, lui è Roger Daltrey.

– Per favore. Mi riferisco all'uomo nel video. Si chiama Billy Milligan.

– Ah, scusi –. Carlisi incrociò le braccia, infossandosi nella poltroncina. Si spinse anche piú indietro, sulle rotelle, e fece cenno al professore di continuare. Nell'ufficio, in piedi uno accanto all'altro, c'erano Grazia, Matera e l'operatore della scientifica. Sarrina l'avevano lasciato in via Gandusio, casomai il Cane fosse tornato. Solo Carlisi era seduto. Picozzi era rimasto in piedi per arrivare meglio al mouse del computer e muoversi rapido lungo le pagine del blog. Gli avevano inviato il link quella mattina e lui era arrivato subito nel pomeriggio.

– Questo qui, invece, è Louis Vivé, – il ragazzo triste che mangiava l'unghia sulla sedia di legno, – questa è Shirley Ardell Mason, – la vecchia mamma da giovane col vestito a fiori, – meglio nota come Sybil, e l'ultima, – su la pagina, fino alla donna con la faccia piatta e il quadro in mano, – è Chris Costner Sizemore. Sono tutti casi clinici.

– Serial killer? – chiese Grazia.

– No. Multipli.

Nessuno disse niente. Carlisi avrebbe voluto farlo ma non ne aveva il coraggio, Grazia stava pensando, Matera non aveva sentito e il tecnico della scientifica sorrideva annuendo, come se avesse avuto conferma di qualcosa che aveva già capito.

Massimo Picozzi lasciò il mouse e si sedette sul bordo della scrivania di Carlisi.

– Avete presente il dottor Jekyll e mister Hyde?

Mini DSM-IV
Manuale diagnostico e statistico dei disturbi mentali
Criteri diagnostici

Disturbi dissociativi.

F.44.81 (p. 256) Disturbo dissociativo dell'identità [300.14] (*precedentemente* Disturbo da personalità multipla).

a. Presenza di due o piú identità o stati di personalità distinti (ciascuno con i suoi modi relativamente costanti di percepire, di relazionarsi, e di pensare nei confronti di sé stesso e dell'ambiente).

b. Almeno due di queste identità o stati di personalità assumono in modo ricorrente il controllo del comportamento della persona.

È come se nello stesso corpo vivessero piú Io, aveva detto il professore, e infatti, per esempio, il libro che Daniel Keyes aveva scritto su Billy Milligan si intitolava appunto *Una stanza piena di gente.* Gente diversa per carattere, personalità, esperienze, attitudini, ricordi, persone che possono cambiare atteggiamento, postura, anche il timbro della voce, e qui il tecnico della scientifica aveva alzato la mano, come a scuola, perché la perizia che aveva fatto comparando le voci registrate nella telefonata a Pierluigi aveva dimostrato che appartenevano tutte alla stessa persona – compreso il cane che abbaia – e poi aveva sorriso, trionfante, perché va bene, a volte l'orecchio umano può essere piú profondo e intuitivo del computer, ma un buon programma è sicuramente piú preciso.

Gente diversa. Gli *alter* prendono il controllo a turno, in modo piú o meno volontario o caotico, mentre la personalità di origine si addormenta e quando si risveglia non ricorda niente, come se ad agire fosse stata davvero un'altra persona.

Gente diversa. L'amnesia non è uniforme in tutte le personalità. Alcune possono essere a conoscenza delle altre e della personalità ospite che le ha originate, come se la stessero osservando.

Persone diverse, nate di solito dopo un trauma subito nell'infanzia, come una perdita precoce importante, ma soprattutto un abuso, un'esperienza insopportabile a cui la personalità ancora frammentata del bambino non reagisce con la rimozione, dimenticando, ma con la dissociazione. Per Louis Vivé era stato trovarsi faccia a faccia con una vipera, in campagna, che può sembrare una sciocchezza, ma lui ne era rimasto terrorizzato. Milligan, invece, aveva subito abusi sessuali dal patrigno sadico che lo torturava, e Sybil dalla madre schizofrenica. Poi, crescendo, quando si verifica uno stress insostenibile per la personalità ospite, ecco che salta fuori qualcun altro a gestirlo per lei.

Gente diversa. Almeno ventiquattro per Billy Milligan, diciannove personalità per Chris Costner.

– E qui quante ce ne sarebbero? – chiese Grazia.

– Per adesso almeno tre, piú la personalità ospite. C'è il Cane, il Giovane, quello che fa il blog, e l'altro, il Vecchio, quello che si arrabbia. Almeno sulla base degli elementi che abbiamo. E di questi almeno uno non è d'accordo. Ha aperto un blog e lo ha riempito di indizi, come la storia dei multipli.

C'è qualcuno che può aiutarmi, là fuori?

– Un pentito, insomma, – disse Carlisi, – un collaboratore di giustizia. Stiamo freschi.

Tante voci, una voce, una persona. Avevano raccolto materiale organico nell'appartamento di via Gandusio e soprattutto dalla tastiera del computer. La scientifica ne stava comparando il Dna con quello che i carabinieri avevano fatto sulla saliva del Cane, ne avevano una copia di quando facevano ancora parte della squadra interforze. Se fosse stato lo stesso, allora la diagnosi era quella giusta.

Ci sono un altro paio di cose, aveva detto Picozzi. La prima era che il disturbo dissociativo dell'identità non era accettato da tutti, in psichiatria, e molti si rifiutavano di riconoscerlo come una categoria diagnostica accertata scientificamente. Una bella suggestione per l'immaginario di culture affascinate dall'idea del doppio o una buona strategia difensiva in un processo. E qui Grazia alzò una mano, tagliando corto il professore che avrebbe volentieri cominciato a parlare di statistiche e casi clinici.

– Qui però abbiamo uno che queste cose le fa, – aveva detto Grazia. – Scientifico o no, abbiamo un tizio, sempre lui, con la stessa voce, che si comporta in modi diversi e che soprattutto ammazza la gente. Lasciamo perdere i dibattiti e vediamo di prenderlo.

La seconda cosa, allora. Di solito, finché non finisce in terapia – e anche allora spesso fa fatica ad accettarlo – la personalità ospite, quella che se ne va in giro tutti i giorni sotto gli occhi di tutti, non sa dei suoi *alter*. Non li conosce e non ne sospetta neanche l'esistenza. E uno cosí, con quei disturbi lí, se fosse già finito tra le mani di uno psicologo, uno psichiatra o uno psicoanalista che non avessero proprio rubato la laurea, sarebbe già stato diagnosticato, almeno come schizofrenico.

Picozzi guardò Grazia che annuí, perché aveva già capito.

– Cioè? – chiese Carlisi.

– Cioè oltre ad avere il problema di trovare un assassino che potrebbe uccidere chiunque, cerchiamo pure una persona che potrebbe *essere* chiunque.

Tranquillo, rispettabile, pacifico. Mai segnalato. Inconsapevole. Potevano anche buttare via la loro lista di pazzi furiosi, pregiudicati e Tso.

Potrei aggiungere un'altra cosa, aveva detto Picozzi, e siccome un po' aveva sorriso, Grazia aveva capito anche questa volta. Carlisi invece ci cascò in pieno.

– Cosa?
– Auguri.

Dopo che Picozzi se ne fu andato rimasero un po' in silenzio, ma poco. Carlisi spense il computer senza neppure
uscire dal blog, forse aveva qualche file aperto che non aveva salvato ma non ci pensò.

– Vaffanculo, – ringhiò. – Abbiamo cominciato con un'indagine antimafia, siamo passati a dare la caccia a un serial
killer, poi a una family, e adesso siamo tornati a un serial killer ma diviso in quattro e che manco sa di esserlo. E stiamo
appesi alle soffiate di un pentito che neanche esiste.

– Dovremmo dirlo… – iniziò Grazia.
– No.
– Dottore, – disse Matera.
– No. Non diciamo niente né alla Deianna né ai carabi-
nieri. Questa cosa ce l'abbiamo solo noi e ce la teniamo, al-
meno per un po'.

Matera sfilò un toscano dalla tasca del giubbotto di jeans
e lo fece scricchiolare tra i denti.

– Sono il dirigente, no? Me la prendo io la responsabilità. Non siete voi che indagate senza delega, sono io che ve
l'ho ordinato.

– Che facciamo?

L'aveva detto Grazia. L'aveva detto con sarcasmo e Carlisi lo sentí.

– Manteniamo la sorveglianza sulla casa. Facciamo in modo che non si capisca che l'abbiamo scoperta, magari torna.
Interroghiamo gli inquillini del palazzo e vediamo di tirare

fuori un identikit o qualcosa. E speriamo che il Pentito si faccia vivo di nuovo, in fondo vuole aiutarci, no?

Grazia non disse niente, ma il sarcasmo si sentiva lo stesso. Carlisi si alzò e con le mani aperte fece il gesto di spazzarli dall'ufficio.

– Via, fuori dai coglioni. E non una parola con nessuno!

E speriamo che il Pentito si faccia vivo di nuovo, in fondo vuole aiutarci, no?

Il Cane mi ha strappato la gola e non posso parlare.

Aperta sotto il mento come una bocca spalancata fino alla base del collo, la trachea che penzola fuori come una lingua inutile. L'aria entra ed esce senza neanche un sibilo.

Mi ha lasciato come uno scarafaggio sulla schiena e non posso neanche agitarmi perché mi ha strappato le braccia e le gambe e le ha sputate lontano.

Sono un bottone che si è staccato.

Voglio tornare.

Fatemi tornare, non dirò niente, più niente, a nessuno. Starò muto con gli occhi chiusi e le mani sulle orecchie per non guardare e non sentire, ma non lasciatemi qui, da solo, per favore.

Vi prego.

Vi prego.

Vi prego.

Muoio di angoscia e di paura.

C'è qualcuno che può aiutarmi, là fuori?

ràbbia (ràb-bia) s. f. **1.** Malattia infettiva virale a prognosi infausta (com. detta anche *idrofobia*) **2.** (*fig.*) Irritazione violenta, spesso incontrollata, provocata da gravi offese, contrarietà o delusioni (*essere fuor di sé dalla r.; schiumare di r.*)...

Comincia con un fulmine dentro la testa, una scossa che parte da sinistra e brucia velocissima, friggendomi il cervello. Sento il cuoio capelluto che si rattrappisce sul cranio come su una piastra incandescente e giú, a pungermi la nuca con migliaia di spilli arroventati. Avvampa sulla mia faccia accartocciata, la fronte stretta come un pugno, le labbra che si ritirano sui denti, consumate, bruciate dal calore che mi esplode dentro.

Spalanco le mascelle e il fiato mi esce come vapore rovente, con un sibilo acuto che si allarga e si gonfia, roteando su sé stesso fino a diventare un ringhio.

ràbbia s. f. (*fig.*) sdegno, furore, irritazione, collera, ira, dispetto, stizza, dispiacere, bile, disappunto, rovello, indignazione, accanimento, furia, veemenza, violenza...

Parte dalla schiena, la curva e la gonfia, premendo forte sul collo per spingerlo in avanti, i tendini scavati sotto la pelle come cavi d'acciaio e i muscoli – tutti – cosí contratti che bruciano dal male. I nervi sono corde d'arco tirate in un angolo cosí acuto che va oltre il punto di rottura, ma che non si spezza mai.

Per un momento la vista mi diventa nera. Il mio corpo vibra frenato da un tremito che lo inchioda mentre il cuore va su di giri e ulula come un motore imballato. Il respiro mitraglia la saliva tra le mie labbra montandola a neve.

Poi qualcosa, da qualche parte, si slaccia come il moschettone di un guinzaglio e parto.

ràbbia s. f. (*fig.*) contr. Calma, serenità, imperturbabilità, bonarietà, impassibilità, pacatezza, freddezza.

Magari potrei accorgermene prima. Magari potrei trattenermi. Magari potrei cambiare.

Prima c'è un formicolio dentro la fossa della nuca, piccoli brividi che mi mangiano le ossa del cranio come bocche di pesciolini sul pelo dell'acqua di un acquario domestico. Un fastidio all'attaccatura delle mascelle che mi serra i denti come una morsa che comincia a stringere. Dita che mi artigliano i polmoni e li schiacciano insieme, piano, lasciandomi ad ansimare come dopo una rampa di scale, la prima che inizia a essere di troppo.

Allora la corteccia prefrontale potrebbe assolvere alla sua funzione di parte piú evoluta del cervello, e modulare gli impulsi dell'amigdala, quella piú antica, frenare la produzione di adrenalina e dopamina e raffreddarlo col pensiero inibitore quel nocciolino primitivo che abbiamo in comune con gli squali.

E cosí forse potrei capirlo che scagliarmi con la bocca spalancata e le mani aperte, a strappare, colpire e stringere e mordere fino ad arrivare al cuore non è la soluzione, che quelli con cui me la prendo non sono le cause del male ma solo i sintomi, e che qualche volta sono pure innocenti.

No.

Non me ne posso accorgere, non posso trattenermi e non posso cambiare.

Perché mi sento sempre cosí, ansante, contratto e febbrile, sempre, tutto il giorno e tutti i giorni.

Perché quello che faccio mi piace.

E perché lo so che non serve e che è sbagliato.

Io non cerco una soluzione.

Non cerco giustizia.

Io voglio vendetta.

Gli aveva detto *vieni senza uniforme*, e per fortuna, perché anche cosí, soltanto con la polo, è fradicio di sudore, figurarsi con la giacca e la cravatta.

Si ferma a riprendere fiato e poi guarda in su, socchiudendo gli occhi per il sole che sbianca il cielo su quel quadratino di cortile ritagliato dalla rampa delle scale. Sembravano finite ma ne mancano ancora due, piú scassate di quelle prima che salivano con i gradini di cotto tra vasi di fiori appesi alle ringhiere. È un palazzo vecchio, gli ultimi due piani devono essere stati ricavati in seguito, e infatti l'ultimo è un sottotetto, ed è lí che Grazia gli ha detto di andare.

Prima di bussare si ferma a staccarsi la maglietta dalla pelle, preoccupato piú dalle ombre sotto le ascelle che dall'odore, perché ha sempre avuto un sudore che sa di acqua.

Grazia, invece, ha addosso un giubbotto. Calzoncini corti e infradito, ma un giubbotto di jeans chiuso fino al collo, e appena entra Pierluigi capisce perché. C'è un ventilatore enorme in un angolo della stanza e spara un soffio potente contro la parete che investe l'appartamento come una raffica di vento, perché è tutto lí, l'appartamento, quella stanza schiacciata sotto il tetto a mansarda, letto basso dalla parte del muro piú corto, tavolo a penisola che si sgancia e si abbassa, angolo cottura e una porta scorrevole a chiudere quello che dovrebbe essere un bagno.

– Lo so, – dice Grazia, – è piccolo.

– Ma no... cioè, sí, è piccolo. Ma è carino, dài.

Grazia si stringe nelle spalle. Dice *letto o sedia?* e poi *birra, acqua o caffè?* Pierluigi sceglie la sedia e una birra, Grazia gliela va a prendere dal frigorifero che sta sotto i fornelli, ne prende una anche per sé e va a sedersi sul letto.

– Stavo per andare in via Costa, – dice Pierluigi, – fortuna che mi hai richiamato per...

– Ci siamo presi una pausa, – dice Grazia. – Non volevo stare in caserma e cosí sono tornata dove stavo agli inizi, prima di andare da Simone. Era libero, – fa girare un dito a mezz'aria, – questo è un posto che o ti piace cosí o lo odî e scappi subito. A me piace.

Pierluigi inarca la schiena sotto il cotone della polo che si sta ghiacciando. L'ha detta apposta quella cosa dell'indirizzo. *Una pausa*, bene. Poi arrossisce e Grazia se ne accorge.

– Che c'è?

– No, niente... Senti, possiamo spegnere il ventilatore? Sono appena uscito da una specie di influenza.

– Diventa un forno. Vieni qua.

Incassato sotto il tetto a mansarda, il letto è fuori dal soffio del ventilatore. Grazia lo ha detto senza malizia, con naturalezza cameratesca, e si è anche fatta piú in su verso il cuscino per lasciargli spazio, ma per un momento a Pierluigi si è fermato il cuore. Non è vero che ha avuto l'influenza, è stato male, sí, roba di stress, fa anche le analisi per un sospetto di anemia, ma soprattutto perché non poteva vederla. Troppo lontana, per telefono, e adesso che è lí non riesce a staccare il sedere dalla sedia.

Evidentemente lei ha altro per la testa, altrimenti si sarebbe accorta del suo imbarazzo e lo avrebbe preso in giro, invece tira fuori un portatile da sotto il letto e glielo appoggia davanti, sul tavolo a penisola. È già acceso, in stand-by, e basta aprirlo perché appaia l'ultima schermata dello screensaver – *polizia di stato*, in azzurro, fluttuante. Grazia si china sulla tastiera, un braccio sulla spalla di Pierluigi, i capelli che gli sfiorano la guancia mentre muove le dita sul trackpad.

Pierluigi la guarda con la coda dell'occhio, finge di tirare su col naso per aspirarne l'odore, poi sullo schermo appare il blog, i Rammstein ricominciano a cantare *Benzin* – e lui, di colpo, si dimentica di tutto, anche di Grazia.

Alla fine lo spengono, il ventilatore. Ma non per il freddo, per il rumore, e lo spegne Grazia perché quel ronzio felpato la disturba. Dopo che Pierluigi ha fatto scorrere il blog almeno una decina di volte, gli ha raccontato come ci erano arrivati e quello che aveva detto Picozzi, e deve concentrarsi per non dimenticare nulla. Aggiunge anche i risultati della comparazione che la scientifica ha fatto tra il Dna di via Gandusio e quello della saliva del cane.

Tante voci, una voce, una persona.

Pierluigi la ascolta in silenzio, mentre il sudore torna a scaldargli la pelle. Ha fatto per dire qualcosa soltanto quando Grazia ha cominciato a parlare di personalità multiple, ma è stato zitto e ha iniziato ad annuire, seguendo il ragionamento.

– Non dovrei neanche essere qui, – dice alla fine.

Grazia gli apre un'altra birra, poi torna a sedersi sul letto, lascia le infradito sul pavimento e tira su i piedi nudi, appoggiando le spalle contro lo scampolo di muro in fondo alla mansarda.

– È per questo che ti ho fatto venire a casa. Territorio neutro, senza uniforme. Siamo solo due amici che parlano.

Amici.

– Ma dài, Grazia! Rischio i gradi, il trasferimento e la carriera. Se De Zan lo viene a sapere mi fa buttare fuori dall'arma. C'è un'inchiesta affidata ai carabinieri, e voi, di nascosto al magistrato…

– Ma dài te! Abbiamo solo una teoria psichiatrica discu-
tibile e quello che potrebbe essere un altro mitomane. Che
dicevano De Zan e la Deianna, ci davano retta?

Pierluigi beve un lungo sorso di birra che gli esce direttamente dai pori della pelle.

– Forse no. Ma non è per questo che lo avete fatto. È una
gara, Carlisi vuole prenderlo lui, il Cane.

– Carlisi. A me invece non me ne frega niente di chi lo
prende. A me basta fermarlo, questo bastardo. Guarda, se
lo trovo io ti telefono e te lo mollo a te, da buoni amici.

Amici.

È cosí preso dalla discussione, e prima dal blog, che si accorge solo adesso che Grazia si è tolta il giubbotto. La maglietta le scopre una striscia sottilissima di pelle sopra il bordo
dei calzoncini, una strisciolina lucida che si restringe appena
dove il bottone aggancia la stoffa dell'asola. Pierluigi immagina di sporgersi in avanti e di slacciarlo, quel bottone, e in
quel momento un'erezione gli si schiaccia fulminea contro la
cucitura interna della patta dei jeans, cosí forte da fargli male.

– Va bene, – dice. Lo sa che non è per quello, Grazia ha
ragione, l'unica è collaborare, ma un po' si vergogna lo stesso. Il suo sorriso soddisfatto da bambina non lo aiuta ad al-
leviare quel nodo che lo costringe ad aggiustarsi sulla sedia,
fingendo di essere scomodo.

– Dammi il computer e vieni qua, – dice Grazia. Lui le dà
il computer ed esita, ma alla fine ci va. Si siede sul bordo del
letto, lontano, rigido, dice *la sorveglianza va bene, ovvio, avrete controllato anche se ci sono telecamere*, e Grazia annuisce,
distratta, un po' perché hanno già fatto tutto e un po' perché
sta cercando un punto nel blog. Poi gli mette il portatile sulle
gambe, allunga una mano con un gesto innocente che gli fa
male e sposta la freccetta facendo scorrere secondi muti sul
cursore del brano nell'ultima pagina.

Tiene lí la freccetta e la mano e dice *prima c'è il maestro Savona, ma poi arriva quello che il Vecchio, insomma la personalità che si arrabbia, non voleva farci sentire. È un brano di un cantautore di Lecco che si chiama Andrea Buffa.*

Dice *abbiamo controllato, non c'entra niente con le nostre storie, probabilmente non sa neanche di essere qui dentro, il brano è uscito anche su un Cd.*

Dice *Il sogno di volare* e finalmente toglie la mano, lasciando partire la musica.

Da giovane avevo un sogno…

– Se il Vecchio si è incazzato cosí tanto, ma soprattutto se il Giovane, il Pentito, ce l'ha voluto mettere, e anche di nascosto, deve essere importante.

Questa mattina alle sei | con il buio in un vento gelato…

– Sí, – annuisce Pierluigi, – è ovvio, deve essere importante, – concentrato, attento, l'erezione ormai non c'è piú.

Cosí Fatima e Mohamed Roberto | stamane non ho salutato…

– Piú importante degli altri indizi. Quelli erano tollerati, il Vecchio non ha detto niente, ma questo…

Grazia alzò una mano.

– Ascolta.

E volo che volo lento | dal sesto giú al primo piano | e ho paura che mai piú potrò | dire a mia moglie quanto la amo…

Pierluigi corruga la fronte. Non se l'aspettava. Che la canzone non fosse cosí allegra nonostante quell'inizio ironico lo aveva sospettato, ma ora che capisce dove sta andando a finire si sente a disagio. Quando stava al comando di compagnia, a Brescia, e dirigeva i carabinieri dell'ispettorato del lavoro ne aveva viste tante di storie cosí.

– È uno che sta…

– Sí, è uno che cade di sotto, ma ascolta.

– Torno indietro.

– Dopo, ascolta adesso.

E c'è qualcosa che non mi torna | nel poco tempo che mi rimane | che fine ha fatto quel bel ragazzo | che una mattina ha preso il mare | sopra una zattera assieme a altri cento, | per non morire di guerra o di fame | dentro una bara semiaffondata, | sicuro soltanto di non tornare.

– È un extracomunitario, irregolare, che vola giú da un palazzo in costruzione... – Pierluigi non ce la fa a stare zitto. Ha capito dove Grazia vuole arrivare e questo lo eccita almeno quanto il desiderio.

Perché diciamoci onestamente, | crepare a trent'anni è proprio un peccato | perché a quel punto almeno a quaranta | nel mio paese sarei arrivato...

– È un incidente sul lavoro... l'indizio che il Pentito ci ha lasciato è la storia di una morte bianca...

... e questo senza prendere il mare, | veder mio fratello morire annegato...

– ... ma se questa storia ha fatto arrabbiare cosí tanto l'altro tizio significa che contiene elementi importanti per farci prendere il Cane.

... e dopo poi venire rinchiuso | senza aver mai commesso un reato, | dopo la fuga finire schiavo | tra i pomodori dal sole bruciato...

Aveva ragione Grazia, quella stanza senza ventilatore diventa un forno, ma Pierluigi non lo sente. Si alza, sfiorando di un pelo una delle travi della mansarda e vorrebbe andare avanti e indietro, ma la stanza è troppo piccola. Le ha messo il portatile sulle ginocchia e nel farlo le ha sfiorato la pelle nuda delle gambe con le nocche, ma non se ne è neppure accorto.

Continua: – Magari riguarda uno dei suoi omicidi, anche se non direttamente. Tra le sue vittime *a vario titolo*, come dice Picozzi, ci sono mafiosi, speculatori, inquinatori, perché non potrebbe esserci uno sfruttatore, un caporale, qualcuno coinvolto nelle morti bianche?

Grazia spegne la musica e chiude il portatile. – Il primo omicidio, – dice, – la causa scatenante. Negli omicidi in serie il primo è sempre quello meno accurato, il piú spontaneo. Gli altri raccontano quello che il killer vuole dirci, ma il primo parla sempre un po' di piú.

Non erano parole sue, glielo aveva detto il suo capo di tanti anni fa, quando aveva cominciato a occuparsi di queste cose. Vittorio, adesso era morto.

– Abbiamo cercato tra gli omicidi degli ultimi anni e non abbiamo mai trovato un…

– Forse allora non mordeva ancora, o forse dobbiamo cercare piú in là. O magari non l'ha neppure ucciso… non importa. Pierluí, se troviamo quella storia troviamo il Cane.

Naturalmente ho chiesto al cantautore, stava dicendo ancora Grazia, *ma lui non si è ispirato a nessun caso in particolare, non ne aveva bisogno, ce ne sono tanti*, ma Pierluigi non l'ascolta piú.

– È per questo che mi hai chiamato, – dice. – Perché la nostra banca dati sugli incidenti è piú completa, lo so, stavo all'ispettorato. Hai bisogno dei nostri dati…

– Ho bisogno di te.

Un brivido. Prima c'era quell'eccitazione da caccia che gli aveva fatto dimenticare tutto, ma adesso la delusione lo ha reso piú debole, piú sensibile.

– Ma dài…

– No, davvero, ho bisogno di te. Guarda come ci siamo capiti subito. Qui ci vuole intuizione, fiuto, direbbe Carlisi… quanti saranno gli incidenti sul lavoro negli ultimi… diciamo cinque anni?

– Piú di tremila.

– Nell'edilizia.

– Venti per cento.

– Possiamo restringere il campo. Extracomunitario, irregolare, venuto dal mare, con figli, Nord d'Italia... sono tutti elementi della canzone, se non contenesse qualcosa di vero il Vecchio non si sarebbe incazzato cosí.

E poi te lo avrei detto comunque, aggiunge, *mi sentivo una merda a tenerti all'oscuro.*

È di nuovo sul letto, le gambe giú, i piedi nudi sul pavimento, e le braccia indietro, i gomiti puntati sul cuscino a tenerle sollevato il busto. La maglietta si è alzata un'altra volta sulla pelle lucida.

Pierluigi si china, una mano aperta per appoggiarsi al letto che non arriva mai, e alla fine eccolo, appena in tempo per sostenerlo, se no le sarebbe caduto addosso. Appoggia le labbra su quelle di Grazia e la bacia, chiudendo gli occhi. Anche Grazia li chiude, ma poi li riapre, piegando appena la testa di lato, per allontanare la bocca.

– Guarda, Pigi, in questo momento sono cosí incasinata...

Lui si tira su con un colpo di reni, cosí veloce che per un attimo barcolla. Il rossore gli sale fulmineo e intenso come un incendio dalla base del collo alla radice dei capelli.

– Scusa.

– No, tranquillo, non c'è problema...

– Scusa, scusa.

– Pier, tranquillo, mi è pure piaciuto, ma in questo momento non è cosa. Facciamo finta di niente.

Pierluigi annuisce con un rapido colpo di testa, e se non avesse un paio di Camper con la suola di gomma si sentirebbe anche che ha battuto i tacchi, piano.

– L'idea è giusta, e hai ragione. Mi riferisco alla storia della canzone, non al... faccio una bella ricerca e ci sentiamo.

Fa per uscire ma lei si alza, e siccome ci è abituata non la sfiora neanche, la trave. Basta un movimento ed è accanto a lui, sulla porta. Lo prende per un braccio e lo bacia su una guancia, con lo schiocco.

– Amici? – dice.

– Amici.

Amici.

Avrebbe voluto uscire con i calzoncini e le infradito, ma andare cosí in ufficio sarebbe stato troppo anche per lei. Allora aveva scelto un paio di pantaloni con le tasche sulle gambe – i piú leggeri che aveva – e la solita camicia aperta sulla canottiera, piú che altro per coprire la pistola. Fuori aveva scoperto che non era cosí caldo rispetto al forno di casa sua, anche se la passeggiata sotto i portici fino a via Castelfidardo, dove aveva parcheggiato, l'aveva comunque fatta arrivare fradicia di sudore.

Notizia buona: l'ombra era arrivata su quel lato, il sole impigliato tra le foglie degli alberi che coprivano la sua Panda.

Notizia cattiva: c'era una multa infilata sotto la spazzola tergicristallo.

Grazia la prese e la gettò sul sedile del passeggero, dove buttò anche il cellulare. Stava pensando a Pierluigi, a quel bacio improvviso che non si sarebbe mai aspettata. E mentre ci pensava si sorprese a sorridere, un po' divertita, un po' compiaciuta, un po' imbarazzata e un po' qualcosa che non sapeva bene neppure lei, ma che le fece toccare le labbra con la punta delle dita.

Prese il cellulare e sfiorò i tasti con il pollice. Avrebbe voluto mandargli un messaggio ma non sapeva cosa scrivergli e alla fine neanche perché. Lasciò cadere il cellulare sul sedile e mise in moto, ancora indecisa, cosí assorta che bastò il motore della sua Panda a riempirle le orecchie.

Lo schianto la staccò dal sedile e la gettò contro la portiera, facendole battere la testa sul montante con un colpo che la stordí. Ricadde a sedere, le mani sul volante, tutto che arrivava un attimo dopo: il dolore alla testa, il ricordo del rombo che si avvicinava, quello metallico della botta contro la fiancata della sua auto, l'urlo della marcia indietro e adesso di nuovo il rombo che arrivava, come un tuono.

Il secondo schianto la investí con i vetri del sedile del passeggero che esplodevano in una nuvola di tessere di cristallo, ma siccome aveva stretto le mani sul volante la lasciò al suo posto con uno strappo doloroso alle braccia e una punta di lamiera protesa verso il suo fianco a rendere l'abitacolo piú piccolo della metà.

Al terzo schianto esplose l'airbag frontale che la staccò dal volante schiacciandola contro il sedile, mentre sull'onda della botta le gambe le scivolavano sotto il cruscotto, storta come il manichino di un crash-test.

Il quarto, il quinto, il sesto schianto e tutti gli altri schiacciarono la Panda contro un albero piegando in dentro tutta la fiancata destra fino al posto di guida, come un cuneo, ma Grazia ormai aveva perso i sensi, e non li sentí.

All'ultimo schianto il Land Rover Discovery si fermò dentro la Panda e lí restò a ululare col motore acceso, mentre la gente che era rimasta impietrita a guardare cominciava a scuotersi e a correre verso le auto incastrate una nell'altra.

In via Castelfidardo c'era il negozio di alimentari di un pakistano che alla polizia disse che il Suv nero si avventava sulla Panda color crema *ek kutta kattaha*, come un cane che morde.

Non è assurdo, Grazia? Con tutte le campagne sulla sicurezza stradale che facciamo, ti sei salvata solo perché stavi parcheggiata contromano e non avevi la cintura.

La prima persona che vide appena aprí gli occhi e riuscí a mettere a fuoco, fu il poliziotto nel corridoio del pronto soccorso, oltre la porta socchiusa della sua camera. Avrebbe dovuto vedere Simone che, come le dissero dopo, si era seduto accanto al suo letto e non si era piú mosso, per tutto il tempo in cui era rimasta priva di sensi, ma Grazia aveva la testa girata sulla guancia sinistra e lui le stava a destra, dove c'era la poltroncina. Però lo sentí, perché le teneva la mano.

Piú tardi Simone andrà a casa a mangiare e tornerà in ospedale nel pomeriggio. Prima passerà dal dottore di turno e avrà la conferma che Grazia sta bene, solo una commozione cerebrale, un taglio da tre punti sulla tempia sinistra e un centinaio di lividi, ovunque e di varia misura. Parleranno a lungo, sottovoce, soprattutto lui. Lui piangerà molto, lei cercherà di non farlo, annuirà con gli occhi lucidi, ma alla fine, quando lui se ne andrà non piú come compagno ma come amico, *amico*, definitivamente, lei avrà comunque le orecchie bagnate di lacrime.

La terza e la quarta persona furono un medico e un'infermiera, e la quinta fu Carlisi, chiamato al cellulare dal poliziotto davanti alla porta, *dottore, si è svegliata*, seguito per un'incollatura da Sarrina e solo per ultimo da Matera, fermato dall'infermiera per il toscano in bocca, anche se spento.

– Non è assurdo, Grazia? Con tutte le campagne sulla sicurezza stradale che facciamo, ti sei salvata solo perché stavi parcheggiata contromano e non avevi la cintura. Se ti beccava dalla parte del guidatore te scazzava come un pisello, – *te scazzava*, ti schiacciava, in dialetto, anche se scherzava e sorrideva il dottore era nervoso.

– Che mi è successo?

– Sei stata speronata da un Suv che ti ha schiacciato contro un albero. Sei scivolata sotto il volante mentre quello riduceva la tua Panda come una sottiletta. Fortuna che il Discovery ha il muso alto.

– Ma non avevo neanche messo in moto, – sentiva la sua voce come se parlasse in sogno.

– Qualcuno ha rubato il Suv che stava parcheggiato lí vicino. Lo ha fatto apposta a speronarti, e mica una volta sola. Voleva ammazzarti, Grazia.

– Era il Cane?

– Probabile, anche se per adesso non lo diremo a nessuno. Butto giú io un rapportino, diamo la colpa agli anarchici, poi vedremo.

– L'hanno preso? – le sembrava di parlare col naso, biascicando le parole. Ma l'aveva aperta la bocca?

– No, è scappato prima che si avvicinasse qualcuno.

– L'hanno visto?

– Niente di utile.

– Avete repertato l'interno? Magari si è ferito e c'è qualcosa per il Dna… – l'aveva detto davvero? O stava ancora dormendo e parlava nel sonno?

– Tranquilla, Grazia, – Carlisi la rimboccò, tirandole il lenzuolo fino al mento, – non ci pensare al lavoro. Adesso ti riprendi e poi, quando torni, vediamo tutto con calma. E non ti preoccupare, perché c'è sempre un agente di piantone davanti alla tua stanza.

– E quando esci ci pensiamo noi a te, – aveva detto Matera, ma Grazia non l'aveva sentito, perché si era addormentata pensando *non dite niente a mia mamma se no viene qui con tutta la famiglia*. Poi era arrivato Simone, le lacrime nelle orecchie, l'infermiera con la Tachipirina e la flebo, *dorma pure, ogni tanto la svegliamo noi per controllare*, e quando si era svegliata ancora aveva la guancia destra sul cuscino, cosí Pierluigi lo vide subito.

– Ciao.

– Ciao. Sembri un'indiana con quella fascia.

Grazia si toccò la fronte e sentí la fasciatura che le sollevava i capelli, poi fece una smorfia perché era andata troppo a sinistra con le dita, vicino al taglio.

– Come stai?

– Un gran mal di testa. E poi una gran fiacca e un po' di nausea, come se… – stava per dire *come se fossi incinta*, ma si fermò prima. Una tristezza improvvisa le strinse le labbra. Sospirò per mandarla via ma non ci riuscí, e tirare su col naso le inumidí le palpebre. Si voltò dall'altra parte perché Pierluigi non se ne accorgesse, troppe sensazioni confuse nella sua testa rotta, se le avesse chiesto cosa aveva non sarebbe riuscita a spiegarglielo. Il piantone era sempre lí, davanti alla porta socchiusa, vedeva l'azzurro polizia della sua camicia.

– Voleva ammazzarmi, – disse Grazia. Adesso la sentiva di nuovo forte e chiara, la sua voce, e lo ripeté: *voleva ammazzarmi*.

Pierluigi le prese la mano, attento a non stringerla perché aveva il cerotto con l'ago della flebo.

– Stai tranquilla. Sei piantonata e ci sono anch'io con te.

Lo sentí battere le dita sul fianco, doveva essere armato. Istintivamente si toccò anche lei, *voglio la mia pistola*, e fece anche per alzarsi, ma Pierluigi la trattenne, dolcemente, finché non si fu calmata. Nella confusione della testa che pulsava Grazia non riusciva ancora ad articolare bene i pensieri, altrimenti avrebbe fatto due piú due e si sarebbe spaventata anche di piú. Pierluigi lo aveva fatto.

Due: il Cane ce l'aveva con Grazia. O il Vecchio, non importa, lui li chiamava tutti *il Cane*. Sia lui che lei erano sul giornale, ma a lui avevano solo telefonato e lei avevano cercato di ammazzarla.

Piú due: come faceva il Cane a sapere che Grazia stava in via Altaseta? Lui stesso stava per andare a casa di Simone. E come faceva a sapere che sarebbe uscita proprio in quel momento?

Uguale: quattro. Il Cane la seguiva. Il Cane dava la caccia a Grazia.

– Ti dò qualcosa di bello a cui pensare, – disse Pierluigi. – Un regalo, tipo i cioccolatini che si portano ai malati.

Aveva una cartellina in mano. Grazia allungò la sua ma Pierluigi ritirò il braccio, e infatti a Grazia era venuta la nausea solo a pensare di leggere qualcosa.

– Allora, seicento morti nell'edilizia negli ultimi cinque anni. Duecentoventidue nel Centronord, centottanta se escludiamo Toscana e Veneto. Stranieri con figli, venticinque.

Tirò fuori dalla cartellina un foglio con una lista. Grazia ne vedeva i nomi da lontano, come una fila di formiche. Chiuse gli occhi perché stava per vomitare, ma li riaprí subito. Pierluigi era arrossito violentemente.

– Che c'è, mi stavi guardando le tette?

Scherzava, e comunque non era vero. Pierluigi ci aveva messo l'enfasi dell'eccitazione nel citare i numeri, e stava anche per dire *ta-daan!* Poi si era ricordato che stava parlando di morti e si era vergognato.

– Rachid Mazgou, – disse in fretta. – Ottobre 2005, era tra i primi. Tunisino, clandestino, muratore… investito da un'auto a Merate, in provincia di Lecco, mentre andava a lavorare.

– Non è lui.

– Aspetta, l'ho pensato anch'io e stavo per scartarlo, ma poi mi è caduto l'occhio sul resto della scheda. Lascia un figlio che si chiama… indovina come? Mohamed Roberto. Come nella canzone del blog.

Grazia fece per alzarsi a sedere ma rinunciò subito.

– Forse è una coincidenza, – disse Pierluigi.

– O forse no, – disse Grazia, – forse è proprio per quello che il Pentito ha scelto *Il sogno di volare*. Non è un nome cosí comune, Mohamed Roberto.

Forse, forse, forse.

– Ho chiamato quelli di Lecco. Le indagini le ha fatte un maresciallo che ora è in pensione. Ho chiamato anche lui ma è stato vago. Vuole parlare di persona.

– Andiamoci.

Grazia tirò via il lenzuolo. Aveva addosso soltanto il camicione di garza dell'ospedale e questa volta sí, Pierluigi le guardò le tette, anche se solo per un momento, ma lei non se ne accorse.

– Aspetta, aspetta, c'è tempo.

– No, non c'è. Firmo per uscire…

Aveva messo una gamba fuori dal letto ma la ritirò dentro. Si aggrappò al braccio che Pierluigi le porgeva.

– Lo vedi? E poi sono quasi le sette di sera, non ci andiamo oggi da un vecchio maresciallo in pensione che adesso vive in provincia di Aosta. Passa una bella notte tranquilla, mi sa che domani ti dimettevano comunque.

– Va bene. Ci vediamo domani.

– Resto qui ancora un po'.

– Ma dài, Pigi…

– Tu dormi, io sto qua a rilassarmi, sono troppo eccitato anch'io da tutto. Queste poltrone sono comodissime, devo chiedergli se me ne vendono una.

Abbassò lo schienale, alzando il poggiapiedi, e si slacciò i bottoni della giacca dell'uniforme, *poi me ne vado*. Grazia sorrise, gli soffiò un bacio sulla punta delle dita e chiuse gli occhi. Se non fosse stato per quella fiacca micidiale neanche lei avrebbe dormito. La nausea adesso non c'era ma le tornò in mente quello che aveva pensato prima, e mentre scivolava nel sonno se lo disse, *è come se fossi stata incinta*.

Poco dopo dormiva e sognava.

Sognava i gemellini che piangevano e lei col latte in mano, ma era dietro una porta chiusa, loro stavano dall'altra parte, lei scuoteva la maniglia e non riusciva ad aprire.

Dormono tutti.

Come si fa negli ospedali, di un sonno pesante, nervoso e malato, ma in questa corsia dormono tutti.

Tranne due persone. Il poliziotto di guardia che è andato nella stanza delle infermiere per un caffè vero, di moka e non di macchinetta, e l'infermiera di turno che glielo sta preparando. Ce ne sarebbe un'altra, di infermiera, ma è salita al piano di sopra non so a fare cosa.

Devo sbrigarmi.

La donna a letto ha il sonno pesante, si sente da come respira forte, e comunque è debole e io sarò rapido e per lei sarà comunque troppo tardi, ma ho paura di svegliare il capitano. E prima o poi il poliziotto tornerà al suo posto, anche se non tanto presto a giudicare da come ride con l'infermiera.

Devo sbrigarmi e fare in silenzio.

Non posso spaccarle la testa con l'estintore del corridoio, non posso strangolarla con il tubo della flebo. Però posso schiacciarle il cuscino sulla faccia e salirle sopra per tenerla ferma, stendermi su di lei e soffocarla.

Meglio, posso piantarle nella gola il coltello della cena che non ha mangiato, colpirla a sinistra, nella giugulare, montarle sopra e coprirla con il cuscino, si indebolirebbe prima e si agiterebbe meno.

Faccio cosí.

Mi avvicino piano, in silenzio. La guardo e so che dopo
sarò dispiaciuto, perché lei non se lo merita, ma dispiaciuto,
non pentito, perché è una cosa che devo fare.

C'è un cuscino in piú, ai piedi del letto. Lo prendo, lo
stringo con la sinistra, come uno scudo.

Il coltello è nel vassoio, sul comodino, avvolto in un tovagliolino di carta. Lo sfilo, piano, pianissimo, attento a non
farlo tintinnare contro la forchetta. Poi cambio idea. Il coltello non ha punta, la forchetta è meglio. Allora appoggio il
coltello sul vassoio, lentamente, senza neanche un rumore,
prendo la forchetta e con il manico sfioro appena il bicchiere, con un sospiro di plastica leggero e secco come un fiato.

Pierluigi si sveglia con un sospiro corto e veloce.

Spalanca gli occhi, e prima che il buio diventi penombra
gli sembra di percepire una sagoma scura contro la luce fio-
ca del corridoio.

Batte le palpebre e la sagoma non c'è piú, se mai c'era stata. Però porta lo stesso la mano alla pistola, e slaccia la fondina, e si alza piano, per non svegliare Grazia, che respira
forte nel suo sonno da ospedale.

Gira oltre il letto senza bisogno di guardarsi attorno, perché la stanza è piccola e vuota. Ignora l'armadio che è troppo
stretto e apre la porta del bagno lasciando che la luce della
corsia ci entri dentro, ma non basta, cosí accende la lampadina sotto lo specchio.

Niente.

La sagoma ormai è solo un ricordo del dormiveglia, ma la
sensazione resta, un brivido che gli si è fermato tra le spalle
come un nodo.

La porta della camera è sempre aperta a metà ma il piantone non si vede. Pierluigi si allaccia la giacca, tiene la pistola
giú lungo la gamba e si affaccia.

Eccolo, il piantone, con un bicchierino di plastica in mano, sta arrivando lungo il corridoio e quando lo vede lo saluta con un cenno, *vuole un caffè, signor capitano?*

Pierluigi scuote la testa e deve averci un brutto sguardo, perché il piantone dice *guardi che la sala infermiere è proprio lí, si vede anche la stanza*, ma lui non lo ascolta.

Torna dentro e chiude la porta.

La luce, adesso, è quella che viene dalla finestra, un lampione giallo nel parco del Sant'Orsola.

Si ferma a guardare Grazia che dorme supina, la fascia sotto i capelli come un'indiana, una ciocca che sembra volersi tuffare sulla fronte, le labbra socchiuse, pensa quasi di baciarla nel sonno, quasi, perché poi gli viene in mente una cosa e allora si china sulle ginocchia, la pistola sempre in mano, e guarda sotto il letto.

Nessuno.

Quando si tira su si sente ridicolo.

Torna alla sua poltrona e di nuovo si slaccia la giubba.

La pistola, però, non la mette via, la tiene in grembo, sotto una mano.

Quando si sveglia è già mattina. Grazia si è sollevata sui cuscini e lo sta guardando.

– Dài, paranoia. Metti via il cannone e vammi a prendere dei vestiti a casa. Io chiamo il dottore e firmo per uscire.

Per la prima ora Grazia sonnecchiò sul sedile reclinato senza mai addormentarsi veramente, e non solo perché un viaggio in macchina non era l'ideale per la nausea e il mal di testa, c'era anche un deodorante a forma di albero appeso allo specchietto retrovisore, e altri due dentro la tasca laterale dello sportello (*e chi sei, il rappresentante dell'Arbre Magique?*)

Soprattutto, però, non riusciva a togliersi dalla mente il sogno dei gemelli. Avrebbe dovuto pensare alla storia del muratore tunisino e al maresciallo Aguiari che andavano a trovare, e lo faceva, ma da qualche parte c'erano sempre quelle due faccine e la porta chiusa, una porta di legno con una lastra di vetro bugnato in mezzo, come quella del Cane, guarda un po', anche se ormai i dettagli del sonno si dissolvevano, lasciandole soltanto quella brutta sensazione di angoscia.

Pierluigi guidava piano, cercando di evitare scossoni e buche, aveva anche tolto la voce al navigatore che indicava quattro ore da Bologna a Morgex, provincia di Aosta, arrivo ore 13:15. Si era preso tre giorni di licenza già dal giorno prima e lei aveva mandato un messaggio a Carlisi e uno a Matera, *tranquilli sono via torno in serata*, poi aveva spento il cellulare sicura che l'avrebbero richiamata piú volte.

L'Audi di Pierluigi era molto silenziosa, in autostrada non c'era quasi nessuno e le dita che Grazia teneva intrecciate dietro la testa le facevano da cuscino, ma non riusciva a rilassarsi. Guardò Pierluigi perché le era venuta in mente una cosa.

– Pier, posso farti una domanda strana?

– Ma certo.

– Non voglio farti venire brutti ricordi, però... Tu e tuo fratello gemello...

– Non ti preoccupare, avevo cinque anni, di ricordi ne ho pochi comunque. Piú che altro quello che mi racconta mia madre...

– Ecco, appunto, è tua madre che mi interessa. Come faceva, quando... cioè, quando vi doveva dare il latte a tutti e due e piangevate e magari l'aveva già dato a uno, come faceva a sapere chi era?

Pierluigi guardò Grazia, poi riportò gli occhi sulla strada.

– In che senso?

– Cioè, metti che eravate identici, uguali uguali, anche vestiti uguali, tutti e due sul letto, e uno aveva mangiato e l'altro no, come faceva a sapere chi aveva... insomma, per non darlo due volte allo stesso bambino.

Un'altra occhiata, un po' piú lunga, con un accenno di sorriso.

– Be', è semplice.

– È semplice?

– Sí. Quello che piange deve ancora mangiare. Quello che ha già mangiato non piange perché dorme.

– E già, – disse Grazia, e non riuscí ad aggiungere altro. Il nodo che aveva dentro si era allentato di colpo, lasciandola all'improvviso cosí leggera che aveva di nuovo voglia di piangere.

Stupida, pensò, stupida, stupida, stupida.

– E già, – ripeté per non farsi travolgere dalla rabbia del rimpianto. – Non ci avevo pensato.

– Credo che sia istintivo. Per una madre, intendo.

– Io non sono una madre.

– No, ma se un giorno lo sarai verrà istintivo anche a te.

Grazia si voltò verso il finestrino. Le lacrime le eplosero tra le ciglia e avrebbe stretto le labbra se sorridere non fosse stato piú forte.

– Grazie, – mormorò, cosí piano che si perse nel soffio dell'aria condizionata. Poi tirò su lo schienale, allentò la cintura di sicurezza, appoggiò la testa sulla spalla di Pierluigi, aggrappata al suo braccio come un koala, e piano piano, senza smettere di sorridere, si addormentò.

Rachid Mazgou aveva ventisette anni e veniva dalla Tunisia. Era arrivato in Italia nel 2005 con un volo di linea e un visto turistico e non se ne era piú andato. Lavorava come operaio agricolo stagionale, non in regola, e quando capitava anche come muratore, sempre in nero. Risiedeva in provincia di Lecco, si era sposato con una connazionale conosciuta in Italia e aveva avuto un figlio, Mohamed Roberto, che nel 2005 aveva diciotto mesi.

Il 15 ottobre di quell'anno, alle nove e venticinque del mattino, un automobilista di passaggio lo aveva trovato sul ciglio della strada che portava alla frazione di Cascinette, per metà riverso nel fossato. Morto.

Il maresciallo Aguiari, che comandava la stazione di Garbate, aveva provveduto a transennare quel tratto di strada e aveva atteso il medico e il magistrato di turno che avevano constatato il decesso del Mazgou – causa apparente: frattura del cranio – e autorizzato la sua rimozione.

Il fatto che accanto al corpo del tunisino ci fosse una bicicletta con la ruota anteriore piegata e che quella strada portasse al cantiere del palazzo in costruzione in cui faceva il muratore – regolarmente assunto da quel giorno stesso – avevano fatto avanzare l'ipotesi che Mazgou fosse stato investito da un pirata della strada mentre andava al lavoro.

Il maresciallo Aguiari, però, non era convinto.

– Perché? – chiede Grazia. – Cosa c'era di strano?

Il maresciallo gira la testa verso di lei, socchiudendo gli occhi. Quando si era presentato aveva detto di essere ipovedente, ma in pratica era quasi cieco. Grazia se lo è conquistato perché ha esperienza di persone non vedenti e invece di lasciarlo con la mano a mezz'aria ad aspettare che qualcuno gliela stringesse gliel'ha presa lei, con una confidenza che lo ha messo subito a suo agio. Adesso parla sempre verso l'angolo del divano su cui siede Grazia, nonostante Pierluigi sia un superiore e sia venuto anche in divisa – inutilmente – per essere più autorevole.

– L'assunzione il giorno stesso dell'incidente. Sembrava un mettere le mani avanti. Succede spesso quando un clandestino ha un infortunio in un cantiere.

– Sí, – dice Pierluigi, – è uno dei motivi per cui le statistiche sono piene di gente che si fa male il primo giorno di lavoro, anche se in realtà non è il primo. Ma mi scusi, l'ho interrotta. Continui, la prego.

Il maresciallo non era convinto. Aveva trasmesso le sue perplessità al comando provinciale di Lecco ed era arrivato un tenente.

Il tenente Rosario.

– Rosario. E il cognome? – chiede Pierluigi, che ha tirato fuori un bloc-notes dalla tasca della giubba.

– Rosario è il cognome, il nome non me lo ricordo. Lo so che è strano, sembrava di chiamare per nome un tenente.

Grazia guarda Pierluigi, che sorride.

– A chi lo dice –. Scrive *ten. Rosario*, poi chiede *tenente o sottotenente?*

– Tenente. Era un romagnolo, un giovanotto in gamba ma molto impulsivo, sempre arrabbiato col mondo, uno giovane, insomma.

Pierluigi aggiunge *romagnolo*. Lo ha notato anche Grazia, che annuisce. Uno degli *alter* registrati nella telefonata a Pierluigi aveva l'accento nordico, padano, forse lombardo, forse emiliano-romagnolo. Romagnolo, aveva detto Simone.

– Fumava? – chiede Grazia.

– Come un turco. Una sigaretta dietro l'altra, l'ho detto, era nervoso. Peccato, perché era bravo.

Fuma, aggiunge Pierluigi, e mette anche: *come un turco*.

Il tenente Rosario era andato col maresciallo sul luogo dell'incidente, aveva constatato che non c'erano segni di frenata sull'asfalto, non c'era sangue sull'erba del fossato e la ruota della bicicletta era piegata in modo strano, come fatto apposta, il maresciallo afferra l'aria con le mani e tira verso di sé, facendo perno con un piede.

Anche il referto del medico legale era strano. Aveva fatto un esame autoptico superficiale, una ricognizione esterna, ed era bastata quella, ma riportava soltanto le fratture alla testa e alla base del cranio, nessun'altra escoriazione o contusione compatibili con un investimento.

La cosa piú strana, però, era il cantiere.

– Un cantiere modello, ponteggi a regola d'arte, graticci di sicurezza, tutti con il casco… quando siamo andati a ispezionarlo sembrava uno spot ministeriale per la legge 626. E tutti assunti, con i documenti in ordine.

Di solito, però, non era cosí.

All'inizio non voleva parlare nessuno e il capocantiere fin dal primo giorno era lí con l'avvocato, ma poi, a forza di cercare, il tenente e il maresciallo erano riusciti a trovare due marocchini in un bar di Garbate frequentato da extracomunitari che tutti chiamavano *il collocamento*, perché era lí che si andava a cercare manodopera occasionale. I due marocchini avevano lavorato al cantiere e avevano detto che i ponteggi c'erano soltanto dal lato della strada, e di clandestini in nero, soprattutto nordafricani, ne giravano tanti e cambiavano anche spesso. Loro c'erano stati una settimana, ma appena il palazzo aveva cominciato a salire se n'erano andati, perché era sicuro che prima o poi qualcuno si faceva male.

A quel punto il tenente e il maresciallo avevano fatto un'altra ipotesi rispetto all'incidente stradale. Il Mazgou era caduto a testa in giú dal ponteggio, e per non passare guai e rischiare il sequestro del cantiere lo avevano scaricato per la strada simulando un investimento.

– La cosa che faceva piú rabbia è che secondo il medico legale il tunisino non era morto sul colpo. Se lo avessero portato all'ospedale invece che scaricarlo in mezzo alla strada, forse si sarebbe salvato.

Il tenente Rosario schiumava letteralmente di rabbia.

Ma c'era un problema.

– Il commendator Silvestro, – dice il maresciallo, – un figlio di puttana... mi scusi, signorina... e mi scusi anche lei, signor capitano. Il titolare della ditta, un palazzinaro del tipo di quelli che ridono col terremoto.

E infatti il commendator Silvestro rideva, rideva sempre, anche quando lo interrogavano in caserma e quando lo interrogò il Pm e poi anche il Gip. Aveva un sacco di amici, il commendatore, in regione, al governo, e mentre lo racconta il maresciallo sfrega assieme pollice e indice. Recentemente era finito nei guai con l'accusa di riciclare i soldi della 'ndrangheta, ma allora era molto potente.

– Il tenente Rosario ci diventava matto. Ci impazziva. Una volta, se non c'ero anch'io nella stanza, in caserma, sono sicuro che gli avrebbe messo le mani addosso, al commendatore. Troppo impulsivo, quel ragazzo. Però bravo. Era riuscito a trovare un algerino che stava là il giorno dell'incidente e che aveva visto il Mazgou cadere dal ponteggio, poi il capocantiere l'aveva caricato su una macchina e via, avevano detto a tutti che lo portavano all'ospedale. Niente. Al momento di verbalizzare l'algerino ritratta e due giorni dopo se ne è già tornato a casa –. Il maresciallo sospira. – Quando il magistrato ha archiviato il caso, il tenente mi è scoppiato a piangere fuori dal tribunale. Poverino, mi ha fatto una pena. Dopo un po' l'hanno mandato via, a Roma, da qualche parte, e poi ho saputo che si era congedato –. Sospira ancora, abbandonandosi contro lo schienale della poltrona. – Peccato, perché era bravo.

Quando escono dalla casa del maresciallo è come se avessero la febbre tutti e due. Grazia fa anche qualche passo da sola verso la macchina, veloce, ma poi deve aspettare per appoggiarsi al braccio di Pierluigi, perché le gira la testa. Sorride, la luce della caccia che le brilla negli occhi, e Pierluigi pensa che deve avercelo anche lui quello sguardo.

– Lo dico io o lo dici tu?

– Non stiamo correndo troppo? Silvestro è ancora vivo, ho letto di lui sui giornali qualche giorno fa, è dentro per una storia di mafia.

– Allora non è il primo omicidio ma la causa scatenante. Pier, lo dico io o lo dici tu?

– Non stiamo correndo… no, hai ragione, cazzo, non possono essere tutte coincidenze. Lo dico io: beccato.

Grazia si aggrappa al braccio di Pierluigi, si alza sulle punte delle scarpe da ginnastica e gli schiocca un bacio sulla guancia che lo lascia senza fiato.

– Torniamo a casa di corsa, dài.

In auto Grazia fa fatica a stare seduta e si agita, come i bambini. Sgancia e aggancia il blocco della cintura di sicurezza, clic clac, e intanto parla, veloce, *io me lo immagino questo Rosario, magari ora è un avvocato, un funzionario di qualcosa, irreprensibile, ex ufficiale dei carabinieri.* – Ecco, appunto, Grazia, – dice Pierluigi ma lei non lo ascolta, pensa a voce alta, *vive dalle nostre parti, probabilmente a Bologna, non ha più a che fare con voi ciccí.* – Appunto, Grazia, – *però è frustrato e incazzato nero, sviluppa le sue personalità multiple che suppliscono ai suoi bisogni, fare giustizia, vendicarsi, denunciarsi...*

– Ohè, Grazia!

– Che c'è?

– Appunto questo. Mettiamo che sia lui, sarebbe un ex ufficiale dell'arma. Aggiungi che io *sono* un ufficiale dell'arma, per di piú impegnato in una indagine clandestina con una poliziotta altrettanto clandestina e all'insaputa, anzi, peggio, *contro* la volontà del mio diretto superiore. Insomma, faccio presto a diventare ex anch'io.

– Quindi?

Clic, clac. Clic, clac.

– Quindi, prima di fare qualunque cosa, appena arriviamo io devo informare De Zan e parlarne con lui.

Clic, clac.

– Ok, mi sembra giusto.

– Hai capito? Non è per prendermi il merito, è che indagheremo su un ufficiale dei carabinieri, per quanto congedato...

– Ho capito, ho capito. Me ne sto buona, tanto sono in malattia. Però andiamo avanti lo stesso, no? Cioè, qualche informazione su questo Rosario, intanto, ce la possiamo prendere, no?

Pierluigi sospira, lancia un'occhiata all'orologio sul cruscotto – sono le tre e venti – e comincia a infilarsi gli auricolari. Ci stava già pensando comunque anche lui, non sarebbe riuscito a resistere per quasi quattro ore di viaggio, cosí digita un numero in rubrica, *Annichiarico? Sono Pigi, da Bologna, senti, per cortesia, me lo potresti fare un controllino?*

Anche Grazia ha acceso il cellulare. Ci sono dieci chiamate, tre di Carlisi, quattro di Matera, uno 0833, il prefisso di Nardò, sua madre, e infatti subito dopo ci sono due chiamate da suo fratello, *ma come cazzo hanno fatto a saperlo?*

Manda un messaggio a suo fratello, *tutto bene solo un piccolo incidente vi chiamo stas*, e spegne il cellulare.

– Un amico all'ufficio personale, – dice Pierluigi, – mi fa sapere qualcosa piú tardi.

Grazia è sveglia come un uccellino, e se non fosse per la fascia da apache non si direbbe che ha avuto un incidente. Pierluigi la guarda mangiarsi l'interno della guancia e pensa che la vorrebbe ancora come quella mattina, addormentata sulla sua spalla. Invece Grazia allunga una mano e accende lo stereo con un colpo di dito rapido come una stoccata.

Il rullare di una ritmica veloce e incalzante invade l'abitacolo dell'Audi cosí forte che distorce le casse. Il miagolio di una chitarra battente insegue la marcia di una taranta sotto una voce roca che canta in dialetto calabrese.

E Vui Signuri chi tuttu viditi, | pecchí 'sti cosi storti suppurtati, | du' sugnu 'i cosi: o Vui non ci siti, | o puru Vui d'i ricchi Vi spagnati!

– Com'è 'sta musica terrona? – urla Grazia. Pierluigi abbassa il volume fino a un soffio, ma Grazia lo alza di nuovo, non piú cosí forte ma abbastanza da sentirselo addosso. È una registrazione dal vivo, si sente sotto la gente eccitata dal ritmo pulsante della taranta.

– Sono gli Arangara, – dice Pierluigi, – è un gruppo di calabresi che sta a Bologna. Quello che canta è un collega, pensa un po', un colonnello, un cantautore molto bravo, che fa tante altre cose.

– E com'è che la ascoltavi cosí forte? Balli mentre guidi?

– Ci avrò preso dentro col volume.

Guarda Grazia che si muove sulla musica, appena, un po' le spalle e i piedi sul tappetino, poco, perché la fascia da apache non è lí soltanto per bellezza, anche se le sta bene, la fa un po' selvaggia, e a Pierluigi il desiderio torna a fargli un nodo, dentro, cosí forte che gli fa quasi male. Ansima, e

ansima anche Grazia, che si è appoggiata a una mano, dietro
la nuca, perché non riesce a tenere ferma la testa. Pierluigi
parla per distrarsi dal nodo che lo avviluppa.

– Riccelli, il collega, ti direbbe che è questo ritmo, rad-
doppia i battiti del cuore e ti mette in uno stato di agitazione
che all'inizio è bello, ma dopo un po' diventa troppo.

*Du' sunnu li cosi: o Vui non ci siti, | o puru Vui d'i ricchi
Vi spagnati.*

– Sono già agitata di mio, – dice Grazia, e cambia dal Cd
alla radio. La musica è diversa, adesso, pulsa anche quella
ma è piú lenta, la voce struggente di Marina Rei che canta
su una base elettronica.

Io sono qui a dirti che non ho piú paura.

Pierluigi è un guidatore prudente, soprattutto adesso che
cerca di evitare troppi scossoni per la testa rotta di Grazia.
Tiene le mani alle dieci e dieci e gli occhi fissi sulla strada,
ma se si voltasse ora potrebbe vedere che anche lei lo fissa e
si accorgerebbe che cosí non l'aveva mai guardato.

Arrivano a Bologna verso le sette e mezzo. Pierluigi parcheggia piú vicino possibile e resta a lungo a guardarsi attorno prima di far scendere Grazia, e anche cosí continua a
voltarsi indietro.

All'imboccatura di via Altaseta c'è una macchina ferma
in divieto di sosta. Pierluigi porta la mano alla fondina sotto
la giubba, ma la toglie quando vede che è Matera.

– Ci hai fatto stare in pensiero.

– Ve l'ho detto che tornavo stasera.

– Non puoi sparire cosí, Carlisi è incazzato nero.

– Sono tornata, no? L'avevo detto –. Pausa. – Poi vi racconto, – un'occhiata a Pierluigi, – poi. Adesso vado su perché
sono stanca e mi gira la testa. Vai a casa, Matè, mi chiudo
dentro e non apro a nessuno, tranquillo. Ci vediamo domani.

– Resta lei, signor capitano?

L'ha detto senza nessuna malizia, quasi una domanda di servizio, ma Pierluigi arrossisce lo stesso.

– Sí, cioè, la accompagno su, certo…

– Ci vediamo domani, Matè, e grazie a tutti.

Matera annuisce, dice *la zappa*, si china dentro l'auto e porge a Grazia la sua pistola, col caricatore a parte, *l'avevo presa in consegna io*, poi saluta Pierluigi con due dita alla fronte e se ne va.

– Ti accompagno su, – dice Pierluigi.

Grazia non risponde, apre il portoncino ed entra decisa nel corridoio che dà sulla scala a cielo aperto, lasciandolo a esitare sulla soglia finché lui non si accorge che si è fermata sul primo gradino, una mano sulla ringhiera e l'altro braccio sollevato a mezz'aria, per lui, che fa finta di essersi trattenuto a guardarsi alle spalle.

Adesso dovrebbe precederla, per controllare che non ci sia nessuno, ma non ci pensa piú, cerca di immaginare cosa potrebbe dirle una volta arrivati in cima e non riesce a togliersi il rossore dalla faccia. Del resto, neanche Grazia pensa a bonificare le scale, perché anche lei cerca di immaginare cosa succederà lassú.

E infatti, quando ci arrivano, Grazia apre la porta dell'appartamento e restano lí, una da una parte e uno dall'altra, sulla soglia, a sorridersi imbarazzati.

Poi Grazia dice: – Scommetto che te sei uno che resterebbe lí tutta la sera ad aspettare.

Pierluigi dice *sí*, e allora Grazia lo prende per la cravatta e lo tira dentro.

Cadono subito sul letto, lei sotto, i denti serrati appena un momento per i lividi che ha sulla schiena, e lui sopra, attento a non schiacciarla. Ha ancora la sua cravatta stretta nel pugno e lo tira con quella per baciarlo, persa tra le sue

labbra come un'adolescente, e quando lo sente premere duro contro di lei trasalisce con un gemito, bruciata da un desiderio che non provava piú da tempo. Scalcia via le scarpe,
tira giú i jeans assieme alle mutandine mentre lui si slaccia la
cintura, impigliandosi nella cerniera dei calzoni della divisa,
e intanto lei si è tolta anche la maglietta ed è rimasta nuda
sotto di lui, apache e nient'altro.

   Dio, mormora Pierluigi, *non sai da quanto tempo*, ma lei
schiaccia la bocca sulla sua e lo porta dentro, gli stringe le
braccia dietro il collo, dimentica la testa che pulsa e che gira,
dimentica i lividi, si morde a sangue le labbra che tremano e
quando lo sente irrigidirsi alla fine lo tiene dentro, istintivamente, le gambe incrociate strette sul suo sedere color latte.

Pigi, sono Annichiarico, richiamami quando senti il messaggio cosí mi formalizzi la richiesta di informazioni. E scusa se ci ho messo tanto, ma ho avuto un po' di casini da sbrigare. Allora, tenente Francesco Rosario, nato a Faenza il 26.10.1975...

Mentre faceva scorrere la cintura fino al buco giusto, Sarrina pensava che in fondo non era stata una cattiva idea.

Erano tre giorni che viveva praticamente in via Gandusio, o meglio, al numero 105 di via Gandusio, meglio ancora, al terzo piano del numero 105 di via Gandusio, concedendosi al massimo la licenza di scendere a chiacchierare con Staglianò e Rizzo che avevano parcheggiato poco piú avanti, abbastanza da tenere d'occhio la porta. Solo di giorno, però, perché di sera si sarebbero fatti notare e in ogni caso autorizzare lo straordinario notturno ad altre due persone sarebbe stato troppo impegnativo per la sezione criminalità organizzata. Che ufficialmente, poi, non aveva autorizzato proprio niente, e infatti da quella mattina Staglianò e Rizzo erano spariti.

Cosí Sarrina si era concesso il lusso di passeggiare fino al parco John Lennon e Chet Baker, a guardare le studentesse straniere che uscivano in Birkenstock e maglietta dall'arco color pastello del campus dell'Alma Mater, seguirle sotto il palazzone di cemento sovietico con la sede dell'Arci, lasciarle andare oltre gli anziani bolognesi e le ragazze musulmane col velo, tutti in coda davanti all'Arca e al mercatino dell'usato, e vederle sparire sotto i murales della sopraelevata di via Stalingrado. Sempre tenendo d'occhio la porta del numero 105, a cui non si era avvicinato nessuno, a parte un vecchio dai capelli bianchi e una giacca color cammello che si era fermato a frugare nei cassonetti, con una valigia in mano.

Era rimasto a fare la lucertola al sole per qualche minuto, poi era tornato alla sua prigione, perché su al terzo piano non poteva far altro che starsene steso sul letto con la pistola sulla pancia e il cellulare sul pavimento, senza fare niente, perché il minimo rumore avrebbe potuto mettere in allarme il Cane, se fosse tornato, che invece doveva trovarsi davanti lui con la pistola puntata e lo squillo già partito per Staglianò e Rizzo, quando ancora c'erano.

Il primo giorno era passato in fretta a far riparare la serratura, repertare peli caduti tra i tasti del computer, cercare telecamere di sorveglianza sempre troppo lontane per riprendere qualcosa e interrogare i senegalesi del primo piano, i brasiliani del secondo e la gente del vicinato. Inutilmente, perché nessuno lo conosceva, l'inquillino del terzo piano, e nessuno l'aveva mai visto.

Il secondo giorno se lo era in parte dormito, fidandosi dei due di guardia in macchina, ma il terzo non passava mai. Non poteva affacciarsi alla finestra per non farsi vedere, non poteva farsi un caffè per via dell'odore, niente televisione, che comunque non c'era, neanche leggere la «Gazzetta» dopo che si era fatto buio.

Silenzio totale, perché i senegalesi stipati nel primo appartamento, dopo la visita della polizia, erano spariti tutti.

Poi, la mattina presto, aveva sentito i brasiliani che rientravano e gli era venuta un'idea. In fondo era l'ultimo giorno, in mattinata Matera sarebbe venuto a prenderlo e ciao.

No, non era stata una cattiva idea, pensava Sarrina allacciandosi la cintura. All'inizio non ne aveva neppure tanta voglia, era piú che altro per fare qualcosa senza uscire dal palazzo, avrebbe anche potuto farsi offrire due chiacchiere e un caffè, ma non gli venne in mente perché era il tipo da associare un travestito soltanto a una cosa. Voleva tenere su i calzoni, ma il brasiliano che aveva accettato con una scrollata di spalle aveva paura di ferirsi le labbra con la cerniera e cosí se li era lasciati cadere a metà ginocchia, la porta d'ingresso appena socchiusa per sentire se qualcuno saliva le scale.

All'inizio non ne aveva voglia, ma alla fine sí eccome, perché il brasiliano era stato bravissimo e poi, sconto polizia, non aveva neanche pagato niente.

Siccome era in gamba e scrupoloso, salí comunque in silenzio la rampa di scale che portava all'appartamento del Cane e fece girare piano le due mandate di serratura che aveva dato prima di uscire, come era giusto. Si stese sul letto senza togliersi le scarpe, appena un istante per lo scrupolo di andare in bagno a lavarsi, subito sciacquato via da un'onda di sonnolenza insistente e fastidiosa. Tolse la pistola dalla cintura e la appoggiò sul pavimento, chiudendo gli occhi con un sospiro profondo.

Di solito aveva il sonno leggero, ma qualche volta no, e quella era una di quelle volte. Si svegliò all'improvviso senza fiato, schiacciato da un peso che gli aveva compresso il torace, facendo cigolare le molle del letto. Spalancò gli occhi, aspirando la plastica sottile del sacchetto che gli entrò in bocca velandogli la vista. C'era una sagoma nera su di lui, che lo premeva e gli schiacciava in fuori le braccia aperte, inutili, gli avambracci troppo corti per arrivare a qualcosa. Cercò di alzarsi forzando sulla schiena, ma la sagoma si chinò su di lui come una conchiglia, avviluppandolo, fronte contro fronte.

Il cuore cominciò a battergli forte mentre aspirava sempre piú in fretta l'anidride carbonica prodotta nel sacchetto che aveva in testa, le pupille che si stringevano e quelle mani inutili che mulinavano nell'aria. Erano passati poco piú di dieci secondi e già era cianotico e iniziava a perdere conoscenza.

Cercò di tossire ma non ci riusciva, e si ferí la lingua contro i denti macchiando di saliva rossa la superficie appannata e umida della plastica. Non era ancora passato un minuto che già stava entrando in coma, affondato nel letto da quel macigno nero che ne schiacciava le convulsioni sul materasso, in un cigolio singhiozzante da orgasmo raggiunto.

Sono stato bravo.

Quando dormiva, Grazia dormiva davvero e non la svegliavano neanche le cannonate. Pierluigi dovette scuoterla, e tante volte, perché faceva piano per non farle male. Alla fine però ci riuscí. Lei si alzò a sedere sul letto, gli occhi ancora mezzi chiusi, la fascia da indiana storta sulla fronte, un sospiro lungo che la schiarí abbastanza da vedere che Pierluigi era già vestito, in divisa, seduto sul bordo del letto. In mano aveva un sacchetto da cui veniva un odore caldo e dolce.

– Non sapevo quali ti piacciono e cosí te li ho portati tutti.

– Alla crema. O alla marmellata di albicocca.

– Bene, allora prendo io quello integrale al miele.

Tirò fuori un cornetto scuro e sottile e porse il sacchetto a Grazia, che ci infilò dentro il naso per aspirarne l'odore.

– Ti sei svegliato presto.

– Abitudine da caserma. E poi vorrei andarmene prima che arrivino i tuoi colleghi. Ti dispiace?

Grazia prese un cornetto facendo *no* con la testa. In parte perché il letto era piccolo, come la stanza, in parte perché era troppo presto per capire cosa era successo, e soprattutto perché se fosse arrivato anche Sarrina, assieme a Matera, l'avrebbe ammazzata di doppi sensi per almeno un mese.

– Allora ci vediamo. Ci sentiamo. Presto. Dopo.

– Pier, tecnicamente siamo almeno amanti… non fare il timido.

Pierluigi sorrise, la baciò sulle labbra all'albicocca, poi la baciò ancora e ancora una volta prima di uscire e chiudere la porta.

Grazia si appoggiò al muro e finì il suo cornetto.

Pensò che forse era presto per capire cosa era successo, ma quello che era successo le piaceva.

Parte quarta

Il sogno di volare

E cosí adesso che il sole si spegne
sopra il cantiere ed il cielo tutto
sono incazzato ed ho molta paura
ma dire male mi pare brutto
voglio che l'ultimo dei miei respiri
si stringa attorno a ciò che ho di piú bello
il viso di Laura... il riso dei bimbi...

ANDREA BUFFA, *Il sogno di volare.*

Sono stato bravo.

Ho sistemato tutto, li ho sistemati tutti.

La donna, il capitano, tutti i bastardi rompicoglioni che volevano fermarmi.

Sono stato calmo, mi sono trattenuto, senza farmi prendere dall'istinto. Mi è dispiaciuto, va bene, perché neanche quello là se lo meritava, ma andava fatto e soprattutto andava fatto cosí.

Sono stato bravo.

Ora posso ricominciare.

Ma non farò gli stessi errori.

No, mie care facce da culo, no, miei carissimi stronzi, pezzi di merda e teste di cazzo, nessuno sbaglio questa volta, nessun errore, nessun infame traditore, ce ne stiamo qui da soli in silenzio, pronti a scattare, soli ad aspettare, stronzi maledetti e rottinculi, sacco di merda, parlo con te, tua è la colpa, e di quella puttana che ti ha messo al mondo, ma io ve lo metto in culo e in bocca perché sono stato bravo, sí, sono stato bravo e allora adesso arrivo, arrivo, adesso vengo, vengo a cercarti, vengo a prenderti, vengo a prendervi tutti, stronzi bastardi, verrò a prendervi uno per uno e vi mangerò il cuore!

– Che sfiga, – disse Carlisi.

Quando Matera andò a prendere Sarrina in via Gandusio, la mattina presto, e lo chiamò al cellulare senza risposta neanche dopo un caffè al bar, si preoccupò e corse su per le tre rampe di scale con la mano sulla pistola, e suonò, e suonò ancora, lo chiamò e sentí il cellulare che squillava nell'appartamento, e allora buttò di nuovo giú la porta e lo trovò steso sul letto, le braccia e le gambe aperte come in croce, la bocca e gli occhi spalancati.

Sul pavimento, accanto alla pistola, aveva un sacchetto di mandorle glassate, una delle quali, una grossa, gli si era fermata in gola, soffocandolo, come aveva constatato il medico legale quella mattina stessa.

La morte di Sarrina aveva cambiato tante cose.

Il dottor Carlisi aveva dovuto spiegare cosa ci facesse uno dei suoi in quell'appartamento di via Gandusio e cosí era saltata fuori tutta la sua indagine non autorizzata, compresa la mancata condivisione delle informazioni con i carabinieri e soprattutto con il magistrato. La dottoressa Deianna si era incazzata, il colonnello De Zan si era incazzato, si era incazzato anche il questore e Carlisi era stato costretto a prendersi un periodo di ferie forzate in attesa di finire sotto inchiesta.

Anche Pierluigi era finito nei guai. *Mai e poi mai*, gli aveva sibilato De Zan cosí vicino che sentiva il suo respiro tagliargli la faccia come uno spiffero di vento gelato, *mai e poi mai in*

*tutta la mia vita nell'arma avrei pensato, ma neanche immagi-
nato, ma neanche nell'anticamera del cervello di fare qualcosa
senza prima avvisare i miei diretti superiori, e sa, capitano Pierluigi, pensavo che anche lei fosse cosí*, con le *r* arrotondate e
scivolando sulle vocali. Aveva anche aggiunto qualcosa sul
ragionare con l'uccello, ma qui forse il ricordo di Pierluigi
non era cosí preciso, influenzato dallo stile sempre corretto
del colonnello che invece in quell'occasione aveva probabilmente detto *cazzo*. Licenza forzata anche per il capitano, in
attesa di valutare un eventuale trasferimento ad altra sede.

Grazia in ferie c'era già, aveva una prognosi di sette giorni
che la teneva in malattia fino alla fine della settimana. Niente
provvedimenti disciplinari né per lei né per Matera, perché
Carlisi li aveva coperti, ma al ritorno in servizio avrebbe dovuto discutere del suo futuro col nuovo dirigente.

Con tutto quel casino, l'ipotesi che ci fosse ancora in giro per Bologna un serial killer dalla personalità multipla che
sbranava le persone come un cane rabbioso aveva assunto la
stessa credibilità di una teoria sul Triangolo delle Bermuda.

– Che sfiga. Voglio dire, che sfiga per il povero Sarrina,
naturalmente. Sarrina era una gran testa di cazzo e lo sappiamo, ma era la nostra testa di cazzo. Però certe cose avven-
gono proprio nel momento sbagliato, s'è 'nfucate con una
mandorla mangiata a letto, ma vaffangúle.

Poco dialetto, perché era piú triste che arrabbiato.

Il funerale era finito da un pezzo, e a parte loro due sulla spianata di cemento del cimitero nuovo c'erano soltanto
gli operai, arrampicati su una scala a saldare il coperchio di
pietra del tombino. Non c'era stata molta gente neanche
prima, i parenti venuti dalla Basilicata, alcuni colleghi, un
giornalista e il brasiliano del secondo piano, che era passato un momento perché si sentiva in colpa. Non erano molti
ma si vedeva che stavano male, perché aveva ragione Carlisi,

l'ispettore Antonio Sarrina, che nella fotografia sulla mor-
tina sorrideva con tenerezza, era sempre stato una testa di
cazzo, ma era la loro.

Anche Grazia non vedeva l'ora di togliersi da quel cati-
no rovente, cosí vestita di nero, ma allo stesso tempo le di-
spiaceva allontanarsi e lasciare lí Sarrina, da solo. In chiesa
aveva pianto per tutta la cerimonia funebre.

Carlisi si sfilò la cravatta e se la mise in tasca. Si tolse anche la giacca, scoprendo una camicia quasi trasparente per
il sudore che gliela attaccava alla pelle.

– Comunque, io ormai sono fuori. Me ne vado a pescare
aspettando che mi sbattano in Sardegna, come si diceva una
volta, se non mi sbattono dentro addirittura. Ci resti solo
tu. 'Ngàppalo, piccè, – *prendilo, bambina,* ecco la rabbia che
tornava, – cudde strunz de' cazz, – *quello stronzo del cazzo.*

Fuori dal cimitero c'era Matera che li aspettava, appoggiato alla macchina. Carlisi salutò con un cenno della mano,
ripeté *'ngappalo, piccè* mentre baciava Grazia su una guancia
e si allontanò, la giacca su una spalla.

Matera aveva ricominciato a fumare. Era rimasto in macchina con l'aria condizionata accesa e adesso c'era una nebbia acre e gelida che pungeva i polmoni. Si accese un altro
toscano mentre metteva in moto.

– Dove andiamo? – chiese tra i denti stretti attorno al
sigaro.

– Io vado a casa a togliermi questa roba nera e se mi ac-
compagni mi fa piacere. Te vai dove vuoi.

– Ti hanno tolto la tutela perché quei cazzoni di anarchici non fanno abbastanza paura, ma noi lo sappiamo che addosso ci hai il Cane. Io non ti mollo.

– Io sono in ferie, tu devi lavorare.

– Ho preso le ferie pure io. Mi spettavano per anzianità.

– E che fai, viviamo assieme? Matè, so badare a me stessa.

Era cosí abituato a mangiarlo, il sigaro, che lo lasciò spegnere. Lo riaccese con l'accendino che teneva sul cruscotto, gli occhi socchiusi per non bruciarseli col fumo.

– Ma il dottore non ti aveva detto di smettere di fumare?

– Si muore per un sacco di motivi, guarda il povero Sarrina. Uno vale l'altro. Grazia, questo bastardo del Cane è sempre un passo davanti a noi... o subito dietro, che è lo stesso. Anche questa cosa di Sarrina... io non ci credo che si è ammazzato da solo, cosí per sbaglio. Era lo stronzetto che conoscevamo e a cui volevamo bene, – un po' piú roche le ultime parole, – ma non era un coglione.

– Niente segni di violenza, nessuna colluttazione, il medico legale ha detto...

– Lo so, lo so, – Matera agitò la mano come per scacciare il fumo, – lascia perdere, non importa. Che hai intenzione di fare?

– Devo parlare con Pierluigi. Avevamo una traccia ma la può sviluppare soltanto lui.

– Credo sia messo peggio di te.

– Spero di no. Funzioniamo bene, insieme, siamo una bella coppia.

Matera le lanciò un'occhiata. Grazia stava sorridendo ma smise subito quando si accorse che lui la guardava.

– Dico dal punto di vista investigativo. Matè, che c'è, mi fai il geloso?

– Ma se ti ho visto nascere. Sempre dal punto di vista investigativo, naturalmente. Facciamo cosí, in giro da sola non ci vai. Quando stai con Pierciccí c'è lui, io non sto a reggervi il moccolo. Quando non c'è lui ci sono io. Anche noi facciamo una bella coppia, no?

Non ho piú la gola e non posso parlare.

Non ho piú le braccia, non ho piú le gambe, non mi posso muovere.

Ma ho ancora la bocca e posso ridere.

Senza rumore, senza voce, senza respiro, spalanco la bocca in una risata muta, solo denti, labbra e lingua.

Il tuo cane non mi fa piú paura. Il suo fiato caldo sulla mia faccia, la sua bava che mi schizza rovente, lascialo latrare mentre si strangola alla catena per arrivare a mordermi, lascialo venire a mangiarmi il cuore.

Io rido, perché non mi fate piú paura.

Io rido.

Ti prenderanno, brutto bastardo, ora lo so.

Ora lo so.

Di solito quando dorme Grazia indossa una maglietta e le mutandine, anche d'inverno, sotto il piumone, ma quando fa molto caldo dorme nuda. Si vergognerebbe se ci fosse un'altra persona con lei, all'inizio succedeva anche con Simone che non la poteva vedere ma la sentiva, allungava la mano e la faceva scorrere lungo il suo corpo, senza toccarla, seguendo il calore della sua pelle. Infatti quando si è addormentata accanto a Pierluigi aveva maglietta e mutandine, ma poi se le è tolte, quasi nel sonno, fradicie del calore umido del forno di via Altaseta. Si è rintanata sotto le lenzuola, rannicchiata come un feto, la curva del fianco e quella delle ginocchia tirate su disegnate dalla stoffa bianca nella penombra dell'alba che sta arrivando.

Quando Pierluigi le solleva il lenzuolo, piano, per non svegliarla, Grazia si muove e si allunga sulla pancia, infilando un braccio sotto il cuscino. Soffia un sospiro nel pugno chiuso davanti alla bocca, la punta del pollice che arriva quasi a toccare le labbra e corruga la fronte in una piega che le rimane tra le sopracciglia.

Per un momento Pierluigi ha la tentazione di allungare una mano e scioglierla con un dito, quella ruga ostinata che resiste al sonno, ma non lo fa.

La guarda.

Distesa sul bianco del lenzuolo, sfiorata da una penombra che le scurisce la pelle come una meticcia, sembra una modella in posa per una fotografia. La curva morbida delle spalle le scava due fossette sulle scapole. L'arco della schiena, le natiche piene e le gambe dritte. I talloni accostati. L'incavo parallelo delle piante dei piedi.

La guarda.

Seduto sulla sedia accanto al letto, già vestito con l'uniforme, Pierluigi stringe una mano al bordo del tavolo per controllare un senso forte di vertigine che gli fa chiudere gli occhi. Trattiene il respiro, sospeso da una sensazione cosí intensa che sembra volerlo staccare dal corpo, poi si riprende, col sorriso un po' smarrito di chi torna da uno svenimento.

È durato solo un istante.

Un istante di amore assoluto.

Ha preso una decisione. Ci ha pensato durante la notte, stretto sul bordo del letto per lasciare piú spazio possibile a Grazia che gli dormiva accanto, lui sveglio a osservare la linea scura delle travi nel soffitto a mansarda. Il momento di estasi che ha provato quando era in contemplazione del corpo nudo di Grazia gliel'ha soltanto confermato.

Va alla stazione a piedi, tanto c'è tempo, il primo Eurostar per Roma parte alle sei del mattino. Biglietteria automatica, prima classe, carrozza 4, posto 92, paga con la carta di credito, *ritirare il biglietto*.

Vorrebbe dormire.

Benvenuti a bordo del treno Eurostar numero 9581 diretto a Roma Termini, l'arrivo è previsto per le ore otto e venticinque…

Vorrebbe dormire.

Raccomandiamo di abbassare la suoneria del cellulare per non recare disturbo agli altri viaggiatori…

Dormire.

Uelcam tu de Eurostar namber…

Un arpeggio metallico, in crescendo, insistente. Arriva in fondo e ricomincia.

Sí? Aspetti, ché non la sento, sono in treno ci sono le gallerie…
Passeggeri da servire? Saliti a Bologna?

Prende un caffè, senza zucchero, *se ha un po' di latte, grazie.* Snack dolce. Frollini. Un fazzolettino e una salvietta umidificata.

Prova a dormire.

Shakira canta *Waka Waka* partendo direttamente dal ritornello, gracchia in un Mp3 scaricato male, *this time for Africa.*

Pronto. Avvocato Gaddoni. No, sono in treno, la sento male, ci sono le gallerie…

Arriva a Roma in orario. Scende in fretta, non ha bagaglio, neanche una borsa, solo il bloc-notes nella tasca della giubba. Veloce fino alla fila dei taxi in attesa davanti all'ingresso, non c'è coda, è arrivato prima di tutti.

Dice l'indirizzo mentre sta salendo e lo ripete quando è dentro, ma non ce n'è bisogno perché il tassista ha già capito.

La radio è accesa. Una voce in collegamento telefonico, *no, guarda, nun vojo fa' polemiche, ma se uno dice che la Roma è una fede…*

Chiude gli occhi.

C'è un bar all'angolo della strada, appena superato l'ingresso della caserma. Controlla l'orologio, sono le nove passate da poco, forse è ancora in tempo.

E infatti il capitano Annichiarico è al bancone e ha appena finito il caffè con un sorso rapido, perché è in ritardo. Di solito è puntuale, tutte le mattine richiamo di caffeina al bar alle otto e cinquanta e in ufficio per massimo le nove e cinque. Pierluigi contava su questo.

Lo tocca su una spalla, risponde al suo sorriso sorpreso, gli stringe la mano e ordina altri due caffè.

Solo un minuto, gli dice, *vorrei parlarti di una cosa.*

Quando esce dalla caserma sono quasi le due. Annichiarico voleva farlo accompagnare alla stazione ma Pierluigi ha insistito per chiamare un taxi. Si sono salutati con un abbraccio e una stretta di mano. Annichiarico ha detto *mi dispiace*. Pierluigi ha sollevato spalle. *Vedremo.*

Sul taxi la voce rapida di Marione, *non prenderei mai un giocatore che ha insultato Totti...*

Sul treno, *a nome di Trenitalia vi auguro una buona permanenza a bordo. Uelcam tu de Eurostar namber...*

L'arpeggio metallico, *sí, allora cadrà la linea perché ci sono le gallerie, poi te lo dico a voce, tanto ho la macchina all'autostazione e arrivo subito, il comunicato però resta quello, bambini o no, per noi chi non paga non mangia, il comune non ha soldi da buttare via...*

Passeggeri da servire? Saliti a Roma?

Aveva chiuso gli occhi e forse per un istante ha anche dormito. Il controllore gli fora il biglietto e glielo restituisce.

Pierluigi guarda fuori dal finestrino, al buio di cemento che scorre veloce oltre il vetro.

Non ho capito... ti sento male... ci sono le gallerie.

Grazia si era svegliata tardi, attorcigliata nel lenzuolo con cui Pierluigi l'aveva ricoperta prima di uscire, e che adesso l'avviluppava umido e fastidioso come un sudario. Appena si era accorta di essere nuda si era coperta il seno con un braccio, istintivamente, come se Pierluigi fosse ancora lí, e anche quando aveva visto che nella stanza non c'era nessuno era rimasta a tenersi stretta fra le braccia, le ginocchia contro il petto, a finire di svegliarsi.

Sul cellulare c'era un messaggio di Pierluigi, *sono uscito a fare una cosa, ti chiamo dopo* e uno di Matera, *chiamami quando ti svegli*. Li aveva ignorati tutti e due, seccata perché uno non c'era e l'altro c'era troppo, si era fatta un caffè sul fornellino che le serviva da cucina e l'aveva bevuto in piedi, sempre nuda, per una forma di protesta neanche lei sapeva contro chi.

Sotto la doccia, attenta a non bagnarsi i punti, aveva ricominciato a pensare al Cane. Cosí aveva finito di sciacquarsi in fretta ma prima di uscire dalla vasca aveva aperto la bocca davanti allo scroscio del telefono, si era riempita le guance e aveva spruzzato contro le piastrelle una nebulosa d'acqua tiepida, come sempre quando faceva la doccia, tutte le volte, fino da bambina.

Era il terzo giorno di un settembre afoso e strano. Grazia arrivò in questura senza fiato, la camicetta annodata attorno alla vita, tolta voltando le spalle al muro di un portico per non far vedere che dietro portava la pistola. La rimise in ascensore, per coprire le spalle nude della canotta, e la tolse di nuovo nell'ufficio di Matera, che aveva l'aria condizionata rotta.

Rimase chiusa lí dentro tutta la mattina a lavorare col telefono e il computer di Matera, perché era una postazione piú defilata rispetto al suo, di ufficio, che stava proprio accanto a quello del dirigente. Quando chiese la password a Matera, e lui non gliela dette ma la digitò mentre lei guardava da un'altra parte, Grazia disse *che c'è, hai paura che scopro che ti scarichi i porno?* e prima sorrisero e poi tornarono seri, perché queste – sia la battuta che i porno – erano cose da Sarrina.

Cercò tutto quello che poteva scoprire su Rosario Francesco, classe '75, nato a Faenza, ex ufficiale dei carabinieri, ma non trovò niente.

Non aveva una pagina Facebook, non aveva un blog, non stava su Twitter o su nessuno dei social network conosciuti. Su Google comparivano soltanto un paio di brevi sui siti dei giornali della provincia di Lecco che parlavano di lui, ma poco e senza fotografie.

Non aveva residenza in città e in nessuno dei comuni della provincia, ma neppure a Modena, a Reggio Emilia, Piacenza, Ravenna e Forlí.

Non possedeva un'auto immatricolata a suo nome negli elenchi della motorizzazione civile. Non aveva un abbonamento per gli autobus dell'Atc e neppure di Trenitalia. Non aveva utenze intestate all'Enel o all'Hera, e sulle pagine bianche compariva soltanto un Francesco Rosario ma non era lui. Non possedeva una scheda Tim, Vodafone o 3.

Non era mai stato fermato dalla stradale, segnalato o identificato, almeno dalla Ps, e non aveva condanne o carichi pendenti.

Per adesso e per quanto poteva scoprire lei, nel territorio d'azione del Cane un Francesco Rosario, classe '75, nato a Faenza ed ex carabiniere, non esisteva.

Eppure una volta era esistito. Dall'anagrafe di Faenza, Grazia era riuscita a farsi leggere il certificato di Rosario Francesco, figlio di Rosario Salvatore e Bulzamini Maria, nato il 26.10.1975.

Poi vibrazione, messaggio di Pierluigi, *sto tornando, ci vediamo alle 19:00?*

Grazia aveva guardato il cellulare. Aveva voglia di chiamarlo ma non l'aveva fatto. Aveva scritto *ok* e poi si era rimessa a cercare ancora per un po', senza trovare niente.

Prima di farsi riaccompagnare a casa da Matera aveva anche controllato quanti *Rosario* c'erano in Italia.

Erano quattrocentotrentasette.

In ordine di diffusione, era solo settemilaquattrocentonovantatreesimo.

Era arrabbiata con Pierluigi perché le aveva dato un appuntamento con un altro messaggio, senza chiamarla. Prima di uscire fece una doccia lunga e per una volta niente jeans e camicetta ma un vestito leggero che le scopriva le spalle facendola sembrare ancora di piú una ragazzina, e sandali. Sostituí la fascia da apache con un cerotto grande ma discreto. La pistola la mise in un marsupio di pelle che allacciò alla vita.

L'appuntamento era al caffè *La linea*, proprio dietro piazza Maggiore. Grazia arrivò per prima ma non c'erano tavoli liberi, fuori, e dentro non aveva voglia di andare, c'era un'aria quasi fresca che veniva dalla galleria che collegava piazza Maggiore a piazza Re Enzo, le si infilava sotto il vestito e tra le dita nei sandali e voleva godersela.

Camminò avanti e indietro, fermandosi a guardare le vetrine di una libreria che stava proprio all'angolo. Era una

libreria per ragazzi e aveva allestito una vetrina con libri
per bambini molto piccoli, cosí strani e colorati che per un
momento Grazia pensò di essere davanti a una pasticceria.
Quando capí cos'era, chiuse gli occhi e appoggiò la fronte al
vetro e restò cosí a lungo, le labbra strette, poi li riaprí e si
mise a guardare con attenzione tutte le copertine con i pesci, gli uccelli e le nuvole colorate, perché le faceva male e
voleva che fosse cosí.

Va bene, ripeteva, *va bene, va bene, va bene.*

Era arrabbiata con Pierluigi ma quando lo vide arrivare
le scappò un sorriso. Lui l'aveva già notata, seduta a uno dei
tavoli di legno sotto la galleria, cosí seria e pensosa.

– Come sei carina, – le disse sedendosi davanti a lei.

– Solo carina?

– Nella mia graduatoria carina è molto piú di bella. Credo
sia la prima volta che ti vedo con un vestito.

– Stavi per dire *vestita da donna*.

– Ma no, dài.

– Come mai ci vediamo qui?

– Perché io vivo in caserma e tu in un forno. E poi siamo tutti e due in vacanza, no? Senti come si sta bene, qua.

Giusto, pensò Grazia.

E pensò anche: *com'è allegro.*

– Com'è che sei sparito, Pierluí?

– Adesso te lo racconto. Prima dimmi una cosa. Immagino che hai fatto qualche controllo sul nostro tipo.

– Sí, ma non ho trovato quasi niente. Ci vorrebbe piú
tempo e un'indagine un po' piú ufficiale.

E soprattutto, aveva detto Matera mentre l'accompagna-
va a casa, *la collaborazione dei ciccí, visto che metà della sua
vita sta oltre la cortina di ferro.*

– È ora dell'aperitivo. Cosa prendi?

Avrebbe dovuto arrabbiarsi ma non ci riusciva. Pierluigi era cosí solare e disteso. Sembrava anche lui un ragazzino, con la sua solita polo color pastello, verde, questa volta. Cosí si lasciò ordinare un prosecco e aspettò che fosse lui a parlare.

– Sono andato a Roma a trovare un amico. Credo di aver fatto piú o meno le stesse ricerche che hai fatto tu, con gli stessi risultati. Questo tizio è come se non esistesse piú. Non si riesce a capire dove vive, come vive e di cosa vive.

– E com'è che sei cosí contento?

– Annichiarico, questo mio amico, è un collega che lavora all'ufficio personale e si occupa proprio degli ufficiali. Mi ha fatto vedere il suo fascicolo.

Anche Pierluigi aveva un marsupio. Tirò fuori il bloc-notes.

– Il nostro Rosario ha un percorso simile a quello di molti ufficiali, me compreso. Figlio di carabiniere, si arruola quando deve fare il militare, due anni di accademia, lo mandano al nucleo operativo di Lecco, lí succede il guaio che sappiamo e il Rosario va in esaurimento nervoso. Vuoi un altro prosecco?

– Pier, per favore…

– Va bene. Allora lo mandano a Roma, lavoro d'ufficio, al personale, lo stesso posto che dopo ha preso Annichiarico. Deve essere ancora un po' sciroccato perché ci resta poco piú di un anno girandosi praticamente tutti i reparti, dalle tessere all'archivio, pure quello storico. Finché non fa un casino… oddio, magari non è stata colpa sua, ma alla fine gliel'hanno data. Io lo prendo un altro prosecco.

Grazia chiuse gli occhi. Aspettò che Pierluigi facesse un cenno verso l'interno del locale, due dita aperte a *v* che indicavano i bicchieri vuoti. Normalmente gli avrebbe fatto almeno un urlo, ma sembrava cosí sereno, davvero in vacanza.

– Che casino? – disse solo.

– Un corto circuito, dicono una stampante che non doveva restare accesa. C'è stato un incendio che ha distrutto un pezzo di archivio, intere carriere scomparse che hanno dovuto essere ricostruite come un mosaico. Lo so perché una di quelle era la mia. Aggiungi che aveva già incasinato anche l'archivio elettronico, risultato: non si è congedato, il nostro Rosario, l'hanno proprio cacciato via.

Grazia annuí mordendosi la bocca che sapeva d'uva.

– E anche questo starebbe nel personaggio, un'altra ingiustizia che lo fa incazzare.

– Chiamala ingiustizia. A me saltavano il trasferimento e l'avanzamento a capitano, se non era per Annichiarico che rimetteva a posto le cose.

– E adesso dov'è?

Pierluigi allargò le braccia.

– Non si sa.

– Come non si sa?

– Ha lasciato l'arma e ciao, non ha piú avuto contatti, non ha rinnovato neppure l'abbonamento al «Carabiniere». Se c'era un indirizzo è sparito col virus che ha fatto prendere al computer del personale.

Erano arrivati altri prosecchi. Grazia girò col dito sul bordo del bicchiere, senza bere.

– Pier, lo sai che oggi sei strano? Sparisci e mi parli solo a messaggi, e questo va bene, non importa, ma torni con poco piú di quello che sapevo io e ti ride anche il culo, come direbbe il povero Sarrina, com'è 'sto fatto?

– Mica ho finito. Ho anche un indirizzo e una fotografia.

Aveva tirato fuori il cellulare e ci stava giocando facendolo girare sul tavolo come una ruota, angolo dopo angolo. Lo porse a Grazia che quasi glielo strappò di mano.

Sul display c'era la fotografia a mezzo busto di un giovane magro e dal viso affilato, in divisa. Teneva il volto appena di tre quarti, lasciando immaginare un profilo aquilino, e nonostante il berretto si vedeva che portava i capelli corti, neri, forse, la foto non era cosí chiara.

Grazia restò a fissarlo a lungo, cercando di intercettarne lo sguardo, ma non era facile, perché Rosario guardava di lato. Ne ripeté il nome, a fior di labbra, *Rosario, Rosario, Rosario.* Non sentiva niente. Anche se non ci credeva, aveva sempre avuto una specie di sesto senso. Quando stava alla catturandi appendeva le foto dei latitanti al muro, e le fissava e qualcosa sentiva sempre, un'impressione, una suggestione, qualcosa sul carattere, sulla vita o sulla storia del personaggio, che poi le faceva venire un'idea per prenderlo.

Ma con questo Rosario no. Non sentiva niente. Anonimo e freddo come una fototessera a mezzo busto, appunto.

Per un momento le venne il dubbio angosciante che avessero sbagliato, che non fosse lui, il Cane, ma poi pensò: no, troppi indizi, troppe coincidenze, e poi il Cane era una delle personalità che stavano dentro, l'Ospite era proprio un tipo anonimo, come questo qui.

– Questa era l'unica che c'era, – disse Pierluigi, – l'abbiamo trovata al reparto tessere, ma ci devono essere quelle all'accademia. Annichiarico me le fa spedire domani al piú tardi dall'accademia stessa, via e-mail.

– Collaborativo questo tuo amico. Credevo che voi ciccí foste ancora piú formali di noi, e invece.

Non si era accorta che il sorriso di Pierluigi si era appannato per un momento. Grazia guardava la fotografia e quando gli chiese *e l'indirizzo* la sua espressione era tornata quella allegra di prima.

– Non è proprio l'indirizzo suo ma quasi. È quello della madre. Ovviamente abbiamo fatto un controllino sul maresciallo Rosario Salvatore e sua moglie Bulzamini Maria, ma il maresciallo è morto nel 2006 di un cancro a qualcosa e per

la signora non risultano utenze o intestazioni con l'indirizzo. Allora abbiamo guardato se la signora prende la pensione
di reversibilità del maresciallo e sí, la prende. C'è qualche
casino con l'indirizzo, ma la ritira all'ufficio postale di Sasso Marconi. Domani mattina ci andiamo e ci facciamo dire
dove sta la signora.

– Mi gioco le palle che non ho che questo vive con la
mamma, – disse Grazia, lo sguardo fisso su quello sfuggente
di Rosario, finché la sua foto non scomparve oscurata dallo
stand-by del cellulare. – Me lo vedo questo tipo seduto nel
salotto della mamma davanti alla televisione...

– No, non hanno l'abbonamento. O non lo pagano...

– Vabbe', me lo vedo seduto in salotto a fissare i gerani
sulla finestra, va bene? Frustrato, rancoroso, inutile, vive
della pensione della mamma e pensa alle cose che odia, poi
si addormenta e lascia il suo corpo al Cane.

Mancava qualcosa. Se Rosario era cosí fuori dal mondo,
come faceva a sapere di lei e di Pierluigi e delle indagini? Va
bene, dai giornali, ma la confessione del Cantero? Era lui
che l'aveva soffiata a madre camorra?

*Magari sua mamma è morta e lui vive con la sua mummia
come Psycho* stava dicendo Pierluigi, che all'improvviso si
era voltato a guardare indietro.

– Che c'è?

– Non lo so. Mi pareva che qualcuno mi stesse guardando. Sai quelle sensazioni...

Sí, le conosceva. Anni di antimafia – soprattutto quelli
a Palermo – le avevano lasciato quel brivido sulla nuca che
si traduceva in scatti improvvisi che facevano male al collo.
Non c'era mai nessuno, e anche adesso il tavolo alle spalle
di Pierluigi si era vuotato e agli altri c'erano studenti, intel-
lettuali, gente di Bologna, che sembravano non fare nessun
caso a loro.

Una ragazza portò il terzo giro di prosecco. Pierluigi pagò
e alzò il bicchiere per farlo tintinnare contro quello di Grazia.

– Se bevo anche questo mi ubriaco. Sono a stomaco vuoto.

– Allora andiamo a mangiare, siamo in vacanza. Offro io.

– No, offro io. Sei stato bravo, Pierluí... – le venne un
dubbio. – Ma sei sicuro che non serviva qualcosa di piú for-
male? Voglio dire, tutte queste indagini al personale...

Questa volta l'aveva vista, quell'ombra veloce sul suo
sorriso. Qualcosa negli occhi, anche. Cosí rapida che era
già passata.

– Ho fatto un accordo con Annichiarico, – disse Pierluigi. – Io gli dico che sono lí in veste ufficiale mandato da De
Zan e dal magistrato...

– Ma non è vero!

– Certo, e lo sa anche Annichiarico, gliel'ho detto subito.
Lui fa finta di crederci, mi aiuta a raccogliere le informazioni
e ci dà qualche giorno di vantaggio, poi chiama De Zan per
chiedere conferma. Ovviamente non ce l'ha, ma a questo
punto la responsabilità è solo mia. Dài, andiamo a mangiare.

Pierluigi vuotò il bicchere e si alzò. Grazia rimase seduta
e quando lui le passò accanto lo prese per un braccio.

– Ma sei matto?

– Senti, la cosa che mi fa piú paura adesso è il cazziatone di De Zan. Per il resto non so che mi faranno e non mi
importa. Io amo il mio lavoro, sono uno di quei carabinieri
che si sentono i galloni cuciti sulla pelle, come diceva il generale Dalla Chiesa, lo sono sempre stato. Non credo che mi
cacceranno via, ma se pure dovesse succedere... c'è qualcosa, in questi giorni, che è finito. Non so cosa, ma sento che
è giusto cosí.

Se non l'avesse detto con quel sorriso sereno. Se non
fosse stato cosí rilassato, cosí naturale, proprio come in vacanza. Grazia non mollò la presa, anzi. *Senti, Pier* iniziò, ma

lui allungò una mano e le accarezzò il viso, tenendogliela su una guancia.

– No, tu non c'entri, e non pretendo niente. Non so come andrà tra noi, vorrei che andasse bene, vorrei stare con te e vorrei continuare a vestire la mia divisa e se possibile con ancora i miei gradi, ma non importa. Questa è una cosa che viene da un'altra parte, non so neanch'io da dove, ma va bene cosí.

La fece alzare e la prese sottobraccio, e davvero tutti e due col marsupio, cosí in polo e vestitino e sandali, sembravano due turisti in vacanza. Si fermarono anche a guardare le Due Torri, in fondo alla strada, arrossate dalla luce del tramonto in perfetto stile cartolina. *Non è vero che non gli vuole piú bene nessuno a questa città* stava dicendo Pierluigi, *io la amo e tutte le volte che sono qui e la vedo cosí mi si ferma il cuore*, e intanto Grazia sentiva la sua mano calda sulla spalla nuda e si stringeva a lui, cingendogli il fianco con un braccio, come una fidanzata.

Piú tardi, sotto il portico di via de' Falegnami, seduti a uno dei tavoli del bistrot del *Caminetto d'oro*, un po' piú ubriaca per colpa di un altro bicchiere di prosecco, Grazia gli disse che anche lei si sentiva cosí, che le sembrava che qualcosa fosse finito. O forse che dovesse ricominciare in un altro modo.

– Io lo so come sono fatta. Quando stavo alla catturandi passavo le giornate a pensare al latitante che dovevo prendere, lo studiavo come si fa con un innamorato, solo che invece di fidanzarmici volevo sbatterlo in galera, ma era la stessa ossessione, io sono cosí. Adesso prendiamo il Cane, se no non riesco a pensare ad altro, poi io mi fermo. Per un po', almeno. Devo capire se una cosa che voglio fare è cosí importante come la sento in questo momento.

Credo di sí aveva aggiunto, anche.

– E io posso aiutarti in qualche modo?

Grazia sorrise, e in quel momento capí che cominciava a essere ubriaca.

– Chissà. Vedremo.

Il parcheggio sotterraneo dell'autostazione è uno di quelli dove si lascia la macchina in uno spazio libero, aperta e con le chiavi dentro. Non possono rubarla perché all'ingresso c'è un operatore con un giubbotto a strisce verdi fluorescenti che registra la targa e rilascia due ricevute, una sta sul cruscotto sotto il parabrezza e l'altra se la porta via il proprietario della macchina.

Se per qualche motivo c'è bisogno di quel posto, se l'auto è parcheggiata male e intralcia la circolazione o era tutto pieno e sta in doppia fila in attesa di un buco libero, arriva un altro operatore in giubbotto verde fluorescente e la sposta, di solito poco lontano.

Cosí era successo quella mattina presto.

C'era un Suzuki Grand Vitara che usciva dalla riga bianca con tutto il ruotone posteriore, e proprio in corrispondenza con una colonna che stava a metà del passaggio a doppio senso che divideva due settori. Le altre auto c'erano passate, a fatica, poi ci aveva provato un Cherokee che si era praticamente incastrato, e cosí era arrivato un ragazzo con gli occhiali, le mani agganciate alle falde del giubbotto, prima piano e poi, siccome il signore del Cherokee suonava il clacson, di corsa.

Il ragazzo aveva aperto la portiera del Suzuki e aveva messo mezzo sedere sul sedile pensando *soccia, che puzza in certe macchine* prima di accorgersi che c'era qualcosa. Allora si era gettato fuori, di schiena, e aveva cominciato a urlare dal pavimento del parcheggio, agitando le gambe e le braccia come una tartaruga rovesciata.

Il signore del Cherokee era sceso anche lui e sul momento aveva pensato che il ragazzo avesse preso la scossa, e infatti si avvicinò con le braccia aperte e lontane per non toccare la macchina, ma poi vide anche lui che sul sedile c'era qualcosa, indietreggiò fino a sbattere la schiena contro la colonna e cominciò a urlare.

Chissà perché nessuno dei due notò il sangue che arrossava il parabrezza come una mano di vernice. Avevano visto prima la testa, giú sul tappetino, che li guardava con gli occhi sbarrati e la lingua fuori dalle labbra, come per fargli una pernacchia.

I carabinieri li chiamò l'altro operatore, quello che stava nel gabbiotto all'ingresso, che arrivò di corsa sentendo urlare e riuscí a rimanere abbastanza in sé da tornare indietro e attaccarsi al telefono.

Forse perché lui della testa sul pavimento dell'auto non si era accorto. Però aveva visto l'uomo riverso sui due sedili, che aveva un buco slabbrato nel petto cosí grande e profondo che si vedevano le ossa sotto.

Gli mancava il cuore.

Quando le auto dei carabinieri avevano sceso rombando la rampa che portava al parcheggio, Grazia e Pierluigi erano sull'autostrada e avevano già imboccato lo svincolo per Firenze, prima uscita Sasso Marconi.

Grazia giocava con il cellulare, i piedi nudi tirati su contro il cruscotto e le gambe scoperte fino alle cosce, ma senza malizia, perché pensava soltanto a Rosario e a quello che avrebbero potuto sapere da sua madre. Pierluigi no, lui ogni tanto la guardava. Poi il cellulare di Grazia vibrò per un attimo e le rimase immobile tra le mani. Scarico.

– Merda. Ovvio che non hai un caricabatteria per un BlackBerry, no?

Ovvio.

– Vuoi usare il mio?

– Lascia stare. Meno ci rompono i coglioni adesso e meglio è.

Arrivarono all'ufficio postale che era ancora chiuso e Grazia bussò sul vetro della porta con la placca del distintivo. Indossava ancora il vestito leggero della sera prima, ma Pierluigi era in divisa e questo aiutò a dissipare i dubbi del direttore, sia per farli entrare sia per le informazioni che chiedevano.

No, la signora Bulzamini non viene a ritirare la pensione di persona, ha delegato qualcuno.

No, non è questo qui, non è mica un carabiniere, non si chiama Rosario, è una ragazza, si chiama Sabrina, Sabrina

Marra, è sulla delega. Se state qui dieci minuti la vedete, viene sempre a ritirare la posta al massimo entro le nove.

Aspettarono. Pierluigi propose a Grazia un caffè ma lei era troppo nervosa. Si divorava l'interno della guancia facendo scorrere avanti e indietro di qualche centimetro la cerniera del marsupio con dentro la pistola. Era solo un caso, lo avrebbe fatto con la cerniera del giubbotto, se l'avesse avuto, o con qualunque altra cosa potesse scorrere.

A un certo punto Pierluigi tirò fuori il cellulare e guardò chi lo stava chiamando.

De Zan. Lo mostrò a Grazia.

– Ti avranno mica già scoperto?

– Non lo so, non credo. In ogni caso hai ragione tu, meglio non farsi rompere le scatole proprio adesso, – e lo infilò nella tasca laterale della giubba, dove la vibrazione si faceva sentire meno, poi ci ripensò, lo tirò fuori di nuovo e lo spense.

Sabrina arrivò alle nove meno cinque. Era una ragazzina pienotta con una testa di ricci neri, salutò il direttore che gli indicò Grazia e Pierluigi, il carabiniere e la poliziotta con la placca in mano.

Sí, certo che la conosceva la signora Bulzamini.

Sí, le ritirava la pensione tutti i mesi, aveva la delega, e non era mica l'unica, ritirava le pensioni di quasi tutti i pazienti della casa che non volevano farseli accreditare sul conto, volevano vedere i soldi, si sa, bisogna aver pazienza.

Quale casa? La casa di riposo *Le viole*, residenza protetta per anziani autosufficienti. Specializzata.

Specializzata in cosa?

Pazienti affetti da Alzheimer.

Quando vide l'uomo massacrato nel parcheggio, la testa che sembrava staccata a morsi dal collo e il cuore che non c'era piú, il colonnello De Zan fece due telefonate.

La prima a Pierluigi, che non rispose.

La seconda al sostituto procuratore Deianna, breve, ma a voce cosí alta che si girarono tutti, anche quelli dei Ris che stavano isolando la scena.

Finí con *glielo avevo detto che non mi tornava, porco can!*

Porco can!

La signora Maria Bulzamini vedova Rosario doveva avere meno di sessant'anni ma ne dimostrava molti di piú. Stava seduta in fondo alla sua stanza, accanto alla finestra. Aveva davanti un tavolino con un mazzo di gladioli di plastica e ogni tanto si chinava in avanti per strofinarne un petalo tra le dita. Altrimenti restava voltata a fissare il muro della casa di fronte, un mosaico di mattoni grigi, tutti uguali.

Sabrina bussò alla porta della camera, per abitudine, perché la signora non si mosse e lei non attese per entrare. Accompagnò dentro Grazia e Pierluigi e li presentò alla signora, che li guardò per un momento, prima di tornare al muro.

– È sempre cosí? – chiese Grazia, sottovoce.

La spaventava quell'espressione assente, fissata su un volto i cui lineamenti sembravano essersi stretti per tenere qualcosa. Per il resto pareva in buona salute, vestita e pettinata.

– Dipende, – disse la ragazza. – Volete che resto un po' per rompere il ghiaccio?

– Sí, – disse Pierluigi. Sabrina si chinò sulle ginocchia, anche se le sarebbe bastato piegarsi appena per arrivare all'altezza del volto della signora.

– Maria, ha visto che sono venuti a trovarla? – disse a voce molto alta, e anche di questo non c'era bisogno. La signora Bulzamini guardò Grazia e per un istante le si allentarono i lineamenti.

– Sei la figlia della Gaia, te?

Aveva una voce limpida e alta, con un forte accento romagnolo. Aveva detto *tè*, con la *e* tutta aperta.

– Sono un'amica di suo figlio Francesco.

– Franci?

– Franci, sí. Sa dirmi dove posso trovarlo?

La signora Bulzamini guardò Pierluigi, disse *eccolo lí* e mentre lo guardava l'espressione si strinse di nuovo e gli occhi se ne andarono sul muro.

– Suo figlio, Maria, – disse Sabrina, a voce ancora piú forte, – Franci, me ne ha parlato tante volte. Il carabiniere.

La signora Bulzamini si girò di nuovo verso Pierluigi, ma questa volta non disse niente. Sfregò ancora un petalo di plastica tra il pollice e l'indice mormorando *son veri o son finti*, e Sabrina si alzò.

– È cosí, purtroppo, bisogna avere pazienza. Si è svegliata da poco e magari tra un po' le medicine fanno piú effetto. Lei però stia indietro, se vede la divisa continua a scambiarla per suo figlio.

– Viene a trovarla? – chiese Pierluigi.

– No, non è mai venuto.

– E questo signore qui l'ha mai visto?

Sabrina guardò la foto di Rosario sul display del cellulare che Pierluigi aveva acceso mentre parlava. Scosse la testa.

– Non lo conosco. Magari qualcun altro del personale, io no. Vi lascio soli, se avete bisogno chiamate.

Pierluigi andò ad appoggiarsi al muro, fuori dalla vista della signora. Grazia gli fece cenno di dargli il cellulare, lui glielo portò e tornò ad appoggiarsi alla parete. Grazia sperava che a metterle sotto gli occhi la fotografia di suo figlio la signora avrebbe avuto qualche reazione, e infatti lei lo guardò, anche a lungo, poi le sorrise.

– È il tuo fidanzato, – disse, – la Gaia sarà contenta, è un bel giovanotto.

Grazia lanciò il cellulare a Pierluigi. Prese una sedia e si mise davanti alla signora. Aspettò che lasciasse il muro per il petalo freddo del gladiolo e le si avvicinò con il volto.

– Maria, – provò, – mi parli di Franci. Dov'è adesso? In quale città? Sta a Bologna? Cosa fa adesso, Franci? L'avvocato? – ma niente.

Non può finire cosí pensò. Guardò gli occhi della signora Bulzamini che non erano vuoti come le era sembrato, c'era qualcosa stretto in un grigio cosí profondo che era impossibile arrivarci. Impossibile. Si sentí cosí impotente che le venne da piangere.

Pierluigi se ne accorse. Si staccò dalla parete e fece cenno a Grazia di aspettare, come se gli fosse venuta un'idea, e si avvicinò.

– Maria, – disse, poi si fermò, fece un passo indietro come per ricominciare e si avvicinò di nuovo, chinandosi accanto alla signora e mettendole una mano su un braccio.

– Mamma, – disse. – Sono Franci, – guardò Grazia che annuí, – sono venuto a trovarti.

La signora Bulzamini si girò a guardarlo.

– Chi sei te?

– Sono Franci, mamma, tuo figlio. Sono qui.

Lei sorrise e gli mise una mano sulla guancia. Poi lo colpí piano con la punta delle dita, con affetto.

– Io lo so chi sei, te. Sei il figlio della Gaia.

Pierluigi sospirò, chiudendo gli occhi. Si alzò con uno scrocchio delle ginocchia.

– È vero, – disse. – Ci vuole pazienza. Pazienza e tempo.

– Che non abbiamo.

– Che io non ho, – mostrò a Grazia il display del cellulare che vibrava. De Zan, ancora, poi lo spense. – Ma ce lo

prendiamo. Insisti con la signora, vado a chiedere al personale se hanno mai visto il nostro Rosario.

Grazia non aveva nessuna esperienza di Alzheimer, non
sapeva neanche bene cosa fosse. Forse sarebbe dovuta tornare con qualcuno che se ne intendeva piú di lei, magari un
medico, uno specialista, perché era una pista troppo importante e non si poteva abbandonare cosí. Sí, Pierluigi aveva
poco tempo ma lei no, lei poteva venire ancora.

Non sapendo cosa fare si mise a parlare. Piano e piú che
altro a sé stessa, come si fa con le persone in coma, guardando la signora che mormorava *ma è vero o è finto* col petalo tra le dita.

– Mi sa che avevo paura, – disse Grazia. – Non è vero che
quando ho cominciato con questa cosa della fecondazione
assistita l'ho fatto cosí per fare, perché lo voleva Simone e
io non ero convinta. Forse è cosí per un uomo, non so, ma
per una donna è diverso, non puoi non essere convinta. Va
bene, ero presa del lavoro, non mi sono resa conto di quanta
cura ci voleva, e allora ho perso… – deglutí, non riusciva a
dirlo. Guardò la signora Bulzamini che fissava il muro. Ricominciò: – So anche perché abbiamo scelto la fecondazione, io sono sana e direi anche giovane, Simone pure, ma lui
non voleva aspettare e… No, non è cosí, – sempre lo sguardo contro il muro, grigio infinito, sia lo sguardo che il muro, – non è cosí. Volevamo saltare questa cosa dei rapporti,
non ci volevamo piú e infatti è finita.

Petalo tra le dita, *ma è vero o è finto*.

– Mi sa davvero che avevo paura. Paura di cambiare, paura di crescere, paura… avevo paura. O forse lo dico solo per
giustificarmi, non lo so. Facevo questo sogno dei gemelli…

– Franci ce l'aveva un gemello.

Era cosí presa dal suo discorso che non si era accorta che
la signora la stava guardando da un po', ma per davvero.

– Franci aveva un gemello ma è morto quando era picco-lo. Aveva... non me lo ricordo piú, non ho piú la testa, però era piccolo. Si chiamava Giulio. Sei la fidanzata di Franci, te? – *Tè*, tutto aperto.

– Sí, – disse Grazia, e poi lo ripeté perché aveva paura di averlo detto troppo piano. C'era qualcosa che l'aveva di-stratta, ma non osava neanche pensarci per paura che la si-gnora Bulzamini si interrompese e tornasse a fondo nel suo mare color piombo.

– Allora gli devi voler bene, perché è sempre stato solo. Quando stavamo in Calabria con lui non ci voleva giocare nessuno. Gli vuoi bene, te? – *Tè*.

– Sí, – pianissimo, senza fiato.

– Brava. Stagli vicino, allora. Sempre solo, povero Franci, sempre solo, si era inventato un amico, come fanno i bambini.

Senza fiato, senza fiato.

– Lo chiamava Pierluigi.

Il fiato le uscí tutto di colpo in un sospiro che sembrava un gemito.

– Pierluigi?

– Sono qui, – disse Pierluigi, sulla porta. – Niente da fa-re, ho chiesto a tutti ma questo Rosario non l'ha mai visto nessuno. A te come va?

Ma è vero o è finto, disse la signora Bulzamini vedova Ro-sario, e intanto le si spegnevano gli occhi mentre affondava giú, sempre piú giú, i lineamenti stretti ad afferrare qualcosa che ormai era lontano, e non si vedeva piú.

Era quasi mezzogiorno quando il capitano Annichiari-co chiamò il colonnello De Zan per chiedergli se Pierluigi aveva la sua autorizzazione per le richieste che aveva fatto. Avrebbe dovuto attendere ancora, ma il colonnello che dirigeva il suo ufficio si era insospettito per tutto quel lavoro del giorno prima e il capitano aveva paura di finire nei guai.

De Zan ascoltò con attenzione, si fece ripetere qualche passaggio, prese anche qualche appunto sulla carta intestata dei carabinieri che aveva sulla scrivania, scrisse ROSARIO FRANCESCO, in stampatello e sottolineato, e disse che non c'era problema, era tutto autorizzato, poi confermava per e-mail. Anzi, che il capitano mandasse un rapportino pure a lui. Sí, anche le foto che dall'accademia avevano mandato a Pierluigi, il prima possibile.

Poi prese il cellulare e ricominciò a chiamare Pierluigi, ma l'utente desiderato non era al momento raggiungibile.

Annichiarico capí che c'era qualcosa che non andava, ma non voleva prenderci di mezzo, e cosí si affrettò a obbedire. Buttò giú un riassunto dell'attività investigativa e chiamò di persona l'accademia chiedendo, per favore, che rimandassero immediatamente le fotografie, colDeZan@carabinieri.it.

De Zan ricevette le fotografie alle due, appena dopo pranzo, mentre stava al bar della caserma. Il cellulare fece una nota sorda da pianoforte, De Zan lo prese, aprí l'icona della posta elettronica, aprí l'e-mail e cominciò a strozzarsi con il caffè.

Zio can!

Grazia ha rimesso i piedi sul cruscotto in quella posizione che le scopre le gambe e Pierluigi la guarda con la coda dell'occhio. Potrebbe farlo apertamente, e anche accarezzarla – lo vorrebbe – ma lei è cosí seria e pensosa che lui si sente in imbarazzo, quasi in soggezione.

Si è tenuta i sandali e gli sta infarinando la plastica zigrinata con la polvere bianca del ghiaino della casa di riposo, ma lui non l'ha notato neppure.

La sbircia, silenzioso, la stoffa a fiori che le incornicia le cosce brune, le braccia conserte sul seno, una spallina che le è scesa fin quasi a metà braccio, il ciuffo di capelli che si arriccia sul cerotto, sbircia quella ruga tra gli occhi e il dito che preme in mezzo alla guancia e si chiede a cosa stia pensando.

Vorrebbe sapere: *cosa sta pensando.*

Perché non glielo dico, stava pensando Grazia. Coincidenze, anche da riderci sopra. Nomi che tornano, va bene, tornano tanto, ma va bene, che significa, Rosario aveva un amico immaginario che si chiamava Pierluigi, Pierluigi ne aveva uno che si chiamava Checco, Francesco, Franci. E tutti e due avevano un fratello gemello che era morto quando erano piccoli.

Coincidenze.

Cose da riderci sopra.

E allora perché non lo guardava. Perché teneva lo sguardo fisso tra le ginocchia come fossero un mirino, rigido sulla strada che le si snodava davanti, curva dopo curva. Avrebbe potuto girarsi verso il finestrino, godersi un panorama che a pochi chilometri da Bologna era già Appennino. Oppure voltarsi verso Pierluigi, la faccia rotonda da bambino grande, quel sorriso timido che conosceva cosí bene. Cosí bene.

Coincidenze.

Pierluigi sapeva tutti i dettagli delle indagini perché ovviamente c'era anche lui. Sapeva di lei, sapeva di sé stesso, sapeva della confessione di Canterini.

Pierluigi conosceva Enzino perché ci aveva indagato sopra, conosceva la signora degli appartamenti perché aveva indagato anche su di lei, aveva indagato anche sul traffico di rifiuti tossici in Emilia-Romagna, *desidera quello che vede, odia quello che vede* aveva detto Picozzi.

Pierluigi c'era perché c'era, perché ci doveva essere e tutto questo poteva essere letto da due direzioni diverse.

Una era semplice: coincidenze.

E allora perché non lo guardava.

Pensò che quello che aveva in mente, che stava nascosto da qualche parte nel cervello senza il coraggio di venire fuori, che non poteva concretizzarsi in immagini e parole perché lei non voleva e restava solo un rumore di fondo graffiante e fastidioso, era semplicemente impossibile.

Impossibile.

Allungò un braccio e accese lo stereo perché voleva altro rumore sui suoi pensieri. Il ritmo era veloce e chiassoso, tamburelli, chitarre, voci, sarebbe anche andato bene, ma le parole no, no davvero, *attentu a chine ti sta vicinu mo'*, attento a chi ti sta vicino adesso, e *ra-raggia*, rabbia.

Sono calabresi anche quelli, Il parto delle nuvole pesanti, chissà chi me l'ha fatta questa compilation stava dicendo Pierluigi, *magari Riccelli, il collega cantautore*, ma Grazia non l'ascoltava. Cambiò sulla radio, *Onda verde*, A1 bloccata tra Roncobilaccio e Barberino.

Aveva ricominciato a mangiarsi la guancia, ma dall'altra parte, e la spinta del dito le inclinò il volto verso Pierluigi. Ne approfittò per forzarsi e guardarlo. Lui se ne accorse, ricambiò lo sguardo e le sorrise.

Impossibile, pensò Grazia.

Se ne avesse avuto il coraggio avrebbe provato a sovrapporre al viso di Pierluigi i lineamenti che immaginava per il Cane. A mettere sulla sua pelle rosa quella gonfia e stravolta dalla rabbia, dalla *raggia*, del mostro a cui stavano dando la caccia, la sua bocca spalancata e schiumante di bava bianca sulle labbra di Pierluigi, appena corrucciate per un tornante un po' piú difficile ma subito distese nel suo sorriso sereno, che si allargò ancora di piú quando lui si girò a guardarla di nuovo.

Impossibile.

Coincidenze.

Ora glielo dico pensò, e iniziò: – Pier, la vuoi sentire una cosa strana? – ma si bloccò subito.

Dopo *Onda verde* era cominciato il giornale radio. La prima notizia era un omicidio a Bologna, nel parcheggio sotterraneo dell'autostazione. Brutale, efferato, dettagli irripetibili.

– Cazzo, – disse Grazia. Lo avevano capito immediatamente tutti e due. Il Cane era tornato.

– Dammi il cellulare, fammi chiamare, dài!

Pierluigi passò il telefono a Grazia che disse *come cazzo*, cosí lui glielo riprese e spinse il pulsantino che lo accendeva. Compose il Pin col pollice e glielo restituí. Fece in tempo a vedere una schermata di chiamate col nome *De Zan*.

– Ecco perché mi chiamava. Ti lascio la precedenza per cavalleria, ma poi me lo dài subito.

Grazia cercò di ricordarsi il numero di Matera ma era cosí abituata a cliccare semplicemente sul nome che non ci riuscí. Voleva chiamare il 113 e farselo passare ma allo stesso tempo cercava di ascoltare la radio, la vittima era un consigliere comunale che tornava da una riunione a Roma, aveva preso il treno la sera prima.

– Ma guarda, – disse Pierluigi, – è quello che ho preso io.

Grazia non lo udí, tutti i sensi scossi da un istante di smarrimento che le lasciò in bocca un sapore metallico, come quando da bambina toccava l'estremità di una pila elettrica con la lingua. Per sbaglio aveva toccato l'icona della posta elettronica che pulsava per un'e-mail in arrivo. Era quella dell'accademia che Annichiarico aveva chiesto di inviare a Pierluigi.

Si era aperta automaticamente sulla foto di Rosario Francesco, 127° corso allievi ufficiali carabinieri di complemento.

Ma sul display non c'era il volto del giovane magro col naso a becco, ce n'era un altro.

Era quello di Pierluigi.

Pierluigi si gira a guardare Grazia mentre dice *ma guarda la coincidenza, ero su quel treno, magari l'ho anche incontrato* poi vede la fotografia sul cellulare, Rosario Francesco, 127° corso e dice *oh*.

Per un momento le palpebre gli vibrano velocissime.

Chiude gli occhi come per un improvviso colpo di sonno.

Quando sentí l'auto che sbandava Grazia si attaccò istintivamente al volante, raddrizzandolo. Pierluigi le era quasi caduto addosso ma si tirò su, spalancando gli occhi.

– Scusa, – le disse.

Ma era un'altra voce.

Grazia si sentí ghiacciare da un terrore assoluto. Lo sguardo fisso in avanti, in mezzo al mirino delle ginocchia, le spalle sollevate, strette sul collo con una tensione di marmo, i denti serrati in una morsa. Nessun pensiero, solo terrore.

Terrore. Un muro compatto di ghiaccio nero.

Poi la prima fessura.

Pensò: *la pistola*.

La troia se n'è accorta.

La pistola era nel marsupio, sul sedile posteriore. Per prenderla Grazia poteva sganciare la cintura di sicurezza, spingere sulle ginocchia puntando i piedi sul cruscotto e torcere il busto, saltando dietro. Un balzo, rannicchiata contro l'angolo della portiera, piú lontano possibile, via la cerniera e fuori la 92, tazzina e piattino.

Non ci riuscí.

Appena accennò a muoversi lui staccò la mano dal volante e la colpí al volto con le nocche del pugno chiuso, alla rovescia, spaccandole un labbro contro i denti. Poi la colpí ancora, un allungo dritto sulla tempia che le riaprí la ferita sotto il cerotto.

Grazia ciondolò attaccata alla cintura di sicurezza, cercando di riprendersi. Quando riuscí a sollevare il busto, aveva un occhio chiuso per un rivolo di sangue che impastava una ciglia. Il labbro le bruciava, denso e dolce.

Lui aveva il marsupio di lei sulle ginocchia, gli era bastato stendere un braccio per prenderlo. Le indicò il cruscotto impolverato.

– Pulisci, per favore.

Pierluigi mormorò Grazia, tenendo fermo il labbro col dorso della mano perché non le facesse troppo male, *Pier, Pigi, svegliati, torna fuori, torna in te, sono Grazia, Pier, per fa-*

vore, *per favore, tu non sei cosí, questa è la rabbia, lo sai, lui è il Cane, tu non sei cosí* poi abbassò la testa perché lui aveva alzato il pugno come per colpirla di nuovo.

La puttana non ha capito niente.
Glielo dico: non hai capito, puttana?
Pierluigi l'ho inventato io.

Quando ebbe finito di tossire il colonnello De Zan prese un tovagliolino di carta e si pulí dal caffè la bocca, il mento e anche gli alamari a foglie d'acanto che aveva sul bavero della giacca.

Intanto il suo cervello viaggiava velocissimo, tanto che quando guardò di nuovo la fotografia sul display del telefono – Pierluigi di fronte, a mezzo busto, molto piú giovane e ancora piú bambino – praticamente non la vide, perché stava già pensando ad altro.

Calcolava.

A metà del 2007 il tenente Rosario Francesco aveva lasciato l'arma dei carabinieri.

Agli inizi del 2008 il capitano Pierluigi Lorenzo era arrivato alla compagnia di Brescia che lui – il colonnello – comandava.

Brillante ufficiale, egregio stato di servizio, una certa confusione nei documenti poi risolta con una serie di integrazioni.

Il colonnello chiuse la schermata delle e-mail e chiamò Annichiarico. Ebbe la conferma che la ricostruzione dello stato di servizio di Pierluigi arrivava fino agli inizi del 2008, e dall'imbarazzo nella voce di Annichiarico capí che c'erano state alcune amichevoli forzature. Siccome un ufficiale dei carabinieri non si fabbrica cosí dal nulla, chiese al capitano di controllare se fino a quell'anno fosse stato presente nell'arma un ufficiale con le caratteristiche di Pierluigi, magari con un nome simile, deceduto o congedatosi in quella data. Uno, insomma, di cui poter utilizzare l'identità. Ci voleva tempo, naturalmente, il capitano Annichiarico avrebbe richiamato al piú presto, ma il colonnello era sicuro di sí.

Mentre saliva al suo ufficio per diramare un ordine di ricerca per Pierluigi, pensava che di lui a parte quello – brillante ufficiale, egregio stato di servizio – e a parte tutta la stima e anche l'affetto quasi paterno che aveva sviluppato lavorandoci insieme, non sapeva altro.

Nel suo fascicolo c'erano dei genitori, dei parenti, una biografia, insomma, scuole fatte, amici. De Zan richiamò Annichiarico chiedendogli di controllare se esistevano davvero, se erano mai esistiti.

Il colonnello era sicuro di no.

A differenza di quello del colonnello De Zan, il cervello di Grazia girava al rallentatore. *O ti togli i sandali o levi i piedi* le aveva detto l'uomo al volante, e lei lo aveva fatto, aveva abbassato le gambe e adesso sedeva composta come a scuola.

La strada era difficile, tutta curve, e lui doveva tenere lo sguardo il piú possibile in avanti, e anche se guidava con una mano sola – a differenza di Pierluigi che le teneva sempre ben salde tutte e due – e l'altra stava aperta sul marsupio, forse Grazia avrebbe potuto strapparglielo e riprendersi la pistola, ma era un pensiero che stava indietro e la sua mente rallentata ancora ci doveva arrivare.

Lui le aveva preso il cellulare che teneva in mano e aveva guardato la fotografia sul display, prima di spegnere tutto.

Che testa di cazzo aveva mormorato.

– Pierluigi…

– Sí, proprio Pierluigi. Che gran testa di cazzo, quel rompicoglioni, praticamente mi ha scoperto lui.

Grazia intendeva un'altra cosa, voleva chiamarlo, *Pierluigi*, ma l'altro aveva capito male. Il cervello di Grazia fece un altro giro indietro. Era come mettere la mano sulla spalla di qualcuno che si conosce e che poi si volta e non è lui, ci assomigliava solo, e lo smarrimento è cosí forte che fa balbettare.

– Se no quando mi prendevi te? – *tè*, come la signora Bulzamini. – Cercavi uno che si addormenta davanti ai gerani mentre la sua personalità multipla va in giro ad ammazzare la gente, e invece è proprio il contrario.

– Pierluigi…

– Sí, quel coglione, – non aveva ancora capito, – voleva fare il carabinire fino da quando giocavamo insieme e alla fine gliel'ho fatto fare. Comodissimo, mi ha portato dove volevo, a fare quello che dovevo, nascosto dietro le sue stellette. Ignaro di tutto, l'imbecille. Pure troppo, direi. Ho sbagliato a lasciarlo fare. Dovevo controllarlo di piú.

Si chinò in avanti ad aprire lo sportellino del cruscotto e anche allora Grazia avrebbe potuto tentare qualcosa nell'attimo che ce l'aveva davanti, quasi sotto, ma non lo fece. C'era un'energia, una forza nervosa in quell'uomo che le faceva paura. Sembrava quasi che a toccarlo avrebbe preso la scossa.

Lui prese un pacchetto di sigarette, aperto. Ne sfilò una con i denti e l'accese con l'accendino dell'Audi. Aprí il portacenere, che era pieno di cicche spente.

– Il rappresentante dell'Arbre Magique, – sorrise, gli occhi stretti per il fumo della sigaretta che gli ballava tra le labbra.

– Pierluigi…

Questa volta capí.

– Non c'è Pierluigi, non c'è mai stato! Ci sono io. C'ero sempre anch'io! Sempre! Quando quel coglione ti parlava di me, quando quell'infame gli ha telefonato, quando interrogavate mia mamma, voi due stronzi, c'ero anch'io, sempre! Quel neo che hai sotto l'ombelico, brutta puttana, c'ero anch'io, sempre!

Le ringhiava sulla faccia, e piú che quello che diceva era quella voce roca da fumatore arrabbiato che le faceva paura. Non era Pierluigi, il volto sí, quasi, ma gli occhi no, e soprattutto la voce.

Non era Pierluigi, non lo era piú.

Allora Grazia scattò, si attaccò al volante e lo tirò giú con tutte le forze. L'auto sterzò a sinistra, sfondò il guardrail e scese giú per una scarpata, scivolando con le ruote sull'erba, grattò il fondo su una roccia e si infilò in un vigneto, parallela ai filari, finché non prese un altro sasso e si fermò di colpo contro un palo di sostegno, lamiera contro cemento, il parabrezza coperto dalle foglie grosse delle viti di montagna.

Stavolta a salvare Grazia fu che ce l'aveva allacciata, la cintura. Ci restò attaccata, protesa in avanti con un dolore al seno che le arrivò fino in gola quando l'auto spezzò quasi la colonna di cemento traforato. Rimbalzò sul sedile, senza fiato.

Ma ce l'aveva allacciata anche lui, la cintura.

Grazia fece appena in tempo a liberarsi che lui le fu addosso, schiacciandola contro la portiera. Le strinse le mani attorno alla gola con un dolore acuto che la fece tossire. Sollevò le ginocchia, piú per istinto di rannicchiarsi come un feto che per volontà, e riuscí a infilarne una contro il torace di lui, però non abbastanza da spingerlo via.

Pier, voleva dire, *ti prego no*, ma le uscí soltanto un gemito roco che le spinse piú in fuori la lingua mentre si attaccava ai suoi polsi e cercava di strapparli via, inutilmente.

Ti ammazzo, brutta puttana, brutta puttana di una vacca troia, ti ammazzo, ti ammazzo perché è colpa tua, perché non te lo meriti, lo so, ma hai rovinato tutto, stronza maledetta, anche Pierluigi dovrò darlo al Cane adesso, ma a te ti ammazzo, stronza bastarda, troia schifosa, ti ammazzo e poi ti staccherò la testa e ti mangerò il cuore!

La giacca dell'uniforme gli accorciava le braccia e non poteva stringere bene, con quel ginocchio in mezzo e lei che lo tirava per i polsi, disperatamente. Allargò i gomiti e con uno colpí lo stereo, che tornò sul Cd, i numeri del volume che si alzavano veloci sul display sotto la pressione della stoffa nera della divisa mentre la musica riempiva l'auto.

Allarme, allarme, le campane sona
li Turchi su' sbarcate alla Marina
allarme, allarme, le campane sona
attentu a chine ti sta vicinu mo'
ra-raggia.

Grazia avrebbe dovuto cominciare a perdere i sensi e invece tossiva, le sembrava che gli occhi dovessero uscirle dalla testa, la pressione le pulsava le tempie con un dolore acuto ma c'era ancora, terrorizzata ma in grado di lottare.

Si accorse che lo sguardo di lui le era sceso sul seno e allora mollò un polso e gli mise davanti un braccio, schiacciandoglielo sotto il mento, poi mollò l'altro per spingergli indietro la faccia con la mano, perché lui aveva spalancato la bocca, gli vedeva le labbra che si ritiravano scoprendo i denti, sentiva che premeva con il collo per mandare giú la testa, un ringhio lungo come un ululato e la bava che le schiumava addosso calda e poi subito fredda attraverso la stoffa sopra il cuore.

Ra-raggia.

La cravatta di lui era uscita dalla giacca e le penzolava davanti alla faccia come un guinzaglio. Grazia la afferrò al volo e la tirò verso l'alto riuscendo a storcergli il collo con uno strattone violento che gli sollevò la testa. La prese anche con l'altra mano e la tirò su come per impiccarlo, strappandogli un gemito roco e corto come un rutto. Lo tenne cosí mentre si slanciava verso il basso, strozzandosi da solo come un cane alla catena, e per bloccarlo meglio sfilò il ginocchio da sotto il suo corpo e gli strinse le gambe attorno ai fianchi come per cavalcarlo alla rovescia.

Lui la sollevò, facendo leva con la schiena, la staccò dal sedile e se la portò dietro, ma lei non mollò, serrò le ginoc-

chia e si attaccò a lui girando la mano dentro la striscia di
stoffa nera finché non arrivò al nodo.

Anche lui le stringeva la gola, faccia contro faccia, cosí vicino che Grazia temeva gliela strappasse con un morso, ma
lei aveva una presa migliore, l'altra mano sul nodo come un
cappio, e infatti lui spalancò di piú la bocca, per respirare
non per mordere, e le lasciò il collo per cercare di infilare le
dita sotto la stoffa che lo strangolava.

Stai fermo, Pier, stai fermo pensava Grazia, ma sapeva che
non doveva farlo, doveva pensare che quello non era Pierluigi, aveva gli stessi capelli corti come un prato rosso, ma
non era lui, quell'essere dalle mascelle spalancate e gli occhi
enormi che le ruggiva addosso era il Cane, e se l'avesse lasciato l'avrebbe uccisa, le avrebbe strappato la gola a morsi
per mangiarle il cuore.

Cosí chiuse gli occhi e tirò piú forte, anche se per lo sforzo
il labbro spaccato le si allargava sui denti, le pulsava la testa
dentro la ferita, la stoffa le segava le dita come un cavo, anche
quando le sembrò di sentirlo mormorare *Grazia, no*, perché
per stargli piú addosso e stringere piú forte aveva incassato
la testa contro la sua spalla e aveva le labbra di lui sull'orecchio, ma forse era la sua immaginazione o forse soltanto un
rantolo, e comunque era tardi, ringhiava pure lei di rabbia,
raggia, e pensava solo *ti strozzo, brutto bastardo, io ti strozzo*.

Si fermò solo quando si accorse che non si muoveva piú.
Non sapeva da quanto e allora disse *oddio* e lo scalciò fuori
dalla portiera aperta con i piedi, uno col sandalo e uno nudo,
ma perché avesse piú aria, e infatti lo accompagnò sull'erba
della vigna tenendolo per la giacca e si attaccò al nodo cercando di allentarlo mentre ripeteva *Pierluigi, Pier, ti prego*,
martellandogli il petto con i pugni uniti, la bocca attaccata
alla sua, per respirargli dentro.

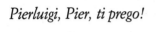

Pierluigi, Pier, ti prego!

Una pioggia nera e fredda, da inizio inverno, aveva spazzato la città cosí forte che tutti avevano cominciato a dire che ormai l'estate era finita, ma poi aveva smesso subito lasciando un'umidità intensa, pronta a ribollire appena si fosse scaldata l'aria, come una presa in giro.

Grazia arrivò in ospedale con i capelli che grondavano ancora. Aveva una felpa con il cappuccio ma si era già infradiciata prima di ricordarsi di tirarla su, cosí se li lisciò indietro con le mani, strizzandoli in fondo in un codino appuntito. Col labbro spaccato, la graffetta sulla tempia e i lividi bluastri che le giravano attorno al collo, sembrava che fosse lei ad aver bisogno di una visita, tanto che l'infermiera alla portineria si stupí nel sentirle chiedere il numero di una stanza. Naturalmente si sbagliò a dire il nome del paziente, *Pierluigi*, che subito corresse: *Rosario*.

Davanti alla stanza c'erano due carabinieri. Uno era il piantone, lo conosceva perché lo aveva già visto quando era venuta a vedere Pierluigi – sí, *Pierluigi* – ancora in rianimazione. E conosceva anche quell'altro, l'autista di De Zan. Il colonnello l'aveva visto parecchie volte, quella settimana. Come aveva visto anche la dottoressa Deianna – prima che arrivasse il magistrato nuovo a sollevarla dall'incarico – il dirigente che aveva preso il posto di Carlisi e pure il professor Picozzi. Tutti, e parecchie volte al giorno. L'ispettore della polizia postale che aveva cancellato il blog non l'aveva incontrato, ma Matera le aveva detto che quando si erano ricordati di andarlo a chiudere c'erano centoventicinque commenti all'ultimo post, ed erano tutti per il Cane.

Ormai si era abituata e Pierluigi non le faceva piú impressione come prima. Quando lo aveva visto dalla finestra di vetro sulla porta della rianimazione, cosí pallido, il mento sollevato da un collarino ortopedico e la mascherina con i tubi sul volto, era scoppiata a piangere, attaccata al braccio di Matera che le diceva *non è colpa tua, non è colpa tua, anzi, sei te che l'hai salvato, se c'ero io per quello che ha fatto a Sarrina lo ammazzavo del tutto.*

Adesso non era piú in pericolo. L'avevano svegliato dal coma farmacologico in cui lo tenevano, aveva risposto molto bene e sembrava che non ci fossero danni permanenti al cervello, per cui lo avevano trasferito al reparto.

Ora però dormiva. Grazia aveva chiamato la caposala per sincerarsene e aveva scoperto che anche De Zan aveva fatto lo stesso. Non volevano vederlo sveglio.

Il colonnello si tolse i guanti di pelle per stringere la mano a Grazia. - L'infermiera mi ha detto che stava arrivando, - disse, - ho aspettato qui per salutarla. Domani parto per Nuoro.

- La Sardegna non è un brutto posto.

- No, infatti, è bellissima, sia per una vacanza che per lavoro. Ma quando arrivi in un posto nuovo come uno che ha avuto come vice la personalità multipla di un serial killer, non puoi aspettarti che ti mettano a fare qualcosa di divertente. E hanno ragione, porco can... mi scusi -. Abbassò la voce perché la stava alzando. - Come ho fatto a sbagliarmi cosí? Lo sapevo che non reggeva la storia degli anarchici, ma non volevo mettermi contro il magistrato. Stavo indagando ancora, naturalmente, ma con calma... troppa. Avevate ragione voi due, lei e Pierlu... porco can.

Pierluigi pensò Grazia, *va bene Pierluigi*.

– Come ho fatto a sbagliarmi cosí, – ripeté il colonnello, ma intendeva un'altra cosa, intendeva Pierluigi e non le indagini, e Grazia lo capí da come aveva sussurrato. Avrebbe voluto prendere la mano del colonnello De Zan – non abbracciarlo, era troppo solo pensarlo – perché quello che stava sul letto, pallido e immobile, era l'uomo – no, il ragazzo – di cui si stava innamorando e cosí anche lei si era *sbagliata*, ma quella parola non le piaceva, le faceva venire voglia di piangere. Pierluigi uno sbaglio. Pierluigi un'invenzione. Pierluigi non esiste.

– E dire che era bravo, – mormorò il colonnello, e adesso era troppo tardi per prendergli la mano perché si stava già rimettendo il guanto. – Si è praticamente scoperto da solo. Il problema è che era bravo anche quell'altro.

Indicò Pierluigi ma Grazia non lo guardò. La maschera a ossigeno che portava adesso era piú leggera e gli scopriva gran parte del volto, ma quella faccia ora non era piú la sua e non la riusciva a guardare.

– Non avrebbe retto per molto ancora, e non è che un ufficiale dell'arma si inventa cosí, questo è stato un caso speciale. Se le interessa saperlo, anche il capitano Annichiarico partirà per qualche posto poco divertente.

Non le interessava saperlo. Anche perché il colonnello aveva guardato di nuovo Pierluigi e aveva sussurrato *forse era meglio se non ce lo riportava indietro*, con un tono che faceva capire che era meglio per lui, per Pierluigi. Sarebbe rimasto in reparto per qualche giorno e poi sarebbe cominciata la trafila che lo avrebbe portato, probabilmente, in un Opg, un ospedale psichiatrico giudiziario, per la terapia.

Se funziona, aveva detto il professor Picozzi in una delle riunioni con il magistrato nuovo, sarebbero successe due cose. Le personalità multiple, con una terapia di successo, si *integrano* – aveva usato quel termine – con la personalità ospite. Di solito questa è all'oscuro di quello che fanno le altre, ne ignora perfino l'esistenza, e quindi è innocente. Ma in questo caso cosí anomalo di disturbo dissociativo dell'identità è proprio la personalità ospite che commette i crimini.

Rosario conosceva benissimo l'esistenza del Pentito, del Cane e di Pierluigi, che era l'unico a non sapere niente. Per cui, una volta dichiarato guarito, l'ex tenente dei carabinieri Rosario Francesco sarebbe stato processato come un assassino seriale, e se il suo avvocato non fosse stato abbastanza bravo da farlo dichiarare insano di mente, si sarebbe preso qualche ergastolo.

La seconda cosa non l'aveva detta, ma questa volta non era una battuta. Grazia l'aveva capita subito, e infatti tutto il resto su disturbi dell'identità ed ergastoli non l'aveva neanche ascoltato.

Se la terapia avesse funzionato, quando gli *alter* si fossero integrati con la personalità ospite, Pierluigi sarebbe sparito per sempre.

Perché quello vero era Rosario.

Pierluigi, anche se l'aveva conosciuto e se ne era innamorata, non era mai esistito. Almeno non nel mondo concreto e tangibile di Grazia.

Il colonnello intanto se n'era andato. Grazia rimase da sola nella stanza ad ascoltare il sibilo del respiro di Pierluigi amplificato dalle macchine, ancora senza guardarlo. Voleva salutarlo perché quella era l'ultima volta che lo avrebbe visto. Quando si fosse svegliato sarebbe tornato a essere quell'altro, Rosario il Cane.

Lo sapeva ed era quello il motivo per cui non riusciva a guardarlo. Perché avrebbe voluto salutarlo con un bacio sulla guancia, ma quella faccia non era la faccia di Pierluigi.

Cosí disse *ciao*, piano, in punta di labbra, soffiò un bacio sulle dita, gli occhi bassi sulle piastrelle del pavimento, e se ne andò.

Simone l'aspettava nella vecchia Cinquecento di sua madre. Aveva il finestrino aperto, col braccio fuori, e la sentí arrivare prima ancora che aprisse la portiera e si sedesse al volante.

– Siamo già in ritardo, – le disse.

– Simò, tranquillo. C'era una cosa che dovevo fare e l'ho fatta. Mo' andiamo.

Mise in moto e appena fu fuori dal parcheggio dell'ospedale prese il cellulare dalla tasca di dietro dei jeans. Quella settimana aveva visto parecchie volte anche Simone. Non erano tornati insieme, non come prima, ma volevano la stessa cosa, o almeno credevano. E anche se Grazia non aveva voluto chiedersi se fosse il modo giusto per farlo – Simone sí – le pareva di aver cominciato bene. Era andata a casa di Simone e aveva contato sulle dita: pollice *tre mesi di aspettativa*, indice *piú la maternità*, medio *poi chissà*, e Simone aveva annuito, una mano sollevata a cercare la sua per incrociarle indice e medio, *non si sa mai, scaramanzia*.

Cercò il numero della clinica nella rubrica e chiese della dottoressa. Mentre aspettava si sentiva eccitata e nervosa, cosí chiese a Simone *metti che ci riusciamo e metti che siano due gemelli, ma uguali, Simò, uguali uguali, come fai a sapere chi ha mangiato e chi no, eh? Lo sai, Simò?* poi la ginecologa rispose.

– Dottoressa, – disse Grazia, – sono Negro. Lo so, sono in ritardo… ma adesso arrivo.

Accanto a *facebook*, bianco su azzurro, l'icona con le due sagome accoppiate per le richieste di amicizia (123), quella dell'omino al computer per le e-mail in privato (25) e il mappamondo delle notifiche (14).

Come immagine di copertina due cani che si azzuffano, la bocca spalancata e le orecchie basse, uno bianco e uno marrone, un po' sfocati dalla risoluzione troppo bassa per quelle dimensioni.

Come immagine di profilo, un cagnolino con la dentatura in primo piano, deformata dal grandangolo, grande naso a bottone e canini come sciabole, grottesco. Accanto, carattere Lucida Grande corpo 20, in neretto: Il Cane.

Nessuna informazione sotto le domande del profilo (aggiungi dove lavori, aggiungi la tua scuola, aggiungi la tua città attuale, aggiungi la tua città natale). Nel riquadro accanto: amici (657), foto (2).

Sotto, il primo post, datato *tre ore fa*: *qui trovate un altro link ancora attivo al blog del serial killer Il Cane.*

Accanto alla manina col pollice alzato: *a Benzin, Inkazzato, Rabbiamille e altri 345 piace questo elemento.*

Primo commento: Inkazzato.

State attenti, stronzi bastardi, verremo a prendervi uno per uno e vi mangeremo il cuore!

Brevemente

Brevemente, due raccomandazioni, alcune scuse, molti ringraziamenti e una minaccia.

La prima raccomandazione è quella di non leggere questa piccola nota se non avete ancora finito il libro (a meno che per qualche motivo non abbiate deciso di non concluderlo, ma spero che non accada). Ci sono alcune piccole sorprese nel mio racconto che magari saranno anche banali e che molti capiranno presto o anche subito, ma che non vorrei rovinare a quei lettori che come me si lasciano trasportare dalla storia senza fermarsi a pensare troppo.

La seconda raccomandazione la dico dopo, assieme alla minaccia. Prima passo alle scuse.

Io sono un romanziere, e nella fattispecie un autore di gialli, thriller, noir o comunque vogliate chiamarli. Noi inventiamo, con l'unico obbligo di essere il piú verosimili e il piú sinceri possibile. Lo so che non si può ammazzare cosí facilmente un detenuto nella Dozza, il carcere di Bologna, me ne scuseranno gli agenti della polizia penitenziaria che fanno spesso un lavoro, in tutte le carceri, poco riconosciuto e poco raccontato. E so anche che l'arma dei carabinieri non è cosí permeabile da farci quello che ci ho fatto io (sono vago perché ho sempre il timore che qualcuno non abbia tenuto conto della prima raccomandazione). Ma sono un romanziere, racconto storie, e anche se nella maggior parte dei casi resto molto aderente alla realtà o ne vengo addirittura superato, qualche licenza sono costretto a prendermela.

Di ringraziamenti ne dovrei fare tantissimi, come sempre succede per ogni libro. La leggenda vuole che la scrittura sia un lavoro solitario, ma alla fine un libro è come una nebulosa che si è nutrita piú o meno consapevolmente di tantissimi apporti.

Per esempio devo ringraziare Gianfranco Riccelli, amico, cantautore e colonnello dei carabinieri, per avermi fatto conoscere la musica popolare, con la sua carica di poesia, di protesta e di rabbia, attraverso altri amici come il geniale Mimmo Martino, solo per citarne uno dei tanti che ho conosciuto, alcuni dei quali si trovano direttamente nel mio libro.

Soprattutto, però, devo ringraziarlo di avermi fatto conoscere Andrea Buffa e il suo *Il sogno di volare*, sentito una volta quasi per caso mentre lo eseguiva assieme a Sonia Cenceschi in un concerto per beneficenza, e credo che il mio romanzo sia nato proprio in quel momento.

Devo ringraziare il professor Alberto Merini, di Bologna, che mi ha raccontato un po' di cose sui disturbi che agitano il mio serial killer (oh, proprio non ci riesco a svelare un dettaglio del romanzo) e al quale ho sequestrato per troppo tempo il suo *Dsm-III*, il manuale diagnostico e statistico dei disturbi mentali (ma era una vecchia edizione, che non gli serviva, e giuro che glielo restituisco).

Allo stesso modo devo ringraziare Massimo Picozzi, di cui ho preso in prestito anche il fisico oltre alle competenze, mettendolo direttamente nella storia. Devo ringraziare il signor Rajinder Singh, per la frase in urdu di un personaggio del libro, devo ringraziare Grazia Negro, quella vera (che non fa la poliziotta ma canta e suona la tromba), a cui come sempre ho rubato la carta di identità, devo ringraziare Beatrice, la mia assistente, Mauro che collabora con me, Roberto che è il mio agente, Severino, Paolo, Valentina, Ernesto e tutta l'Einaudi, e devo ringraziare sicuramente tanta altra gente che è altrettanto importante ma che lascio indietro per ragioni di spazio e memoria (poca, la mia).

Poi ci sono tutti quegli scrittori, musicisti e autori di cui ci si nutre anche indirettamente quando si scrive, rubando anche inconsciamente connessioni tra parole o suggestioni, che diventano citazioni o vanno ad alimentare la nebulosa di cui parlavo prima. Nelle invettive del Cane, per esempio, ho debiti che vanno da Catullo a Pompeo Bettini, passando per il Teatro dell'Odio: emozioni, suoni e parole che producono altre parole, emozioni e suoni (i miei), che spero facciano la stessa fine.

Adesso l'ultima raccomandazione e la minaccia.

Non ho mai pensato che il colpo di scena finale valesse tutto un libro, neanche in un giallo classico, figurarsi in un noir come il mio che spero venga letto anche per altri motivi che non siano soltanto scoprire chi è stato alla fine. Però, magari, se qualcuno non lo sa ed è cosí ingenuo da non capirlo, magari, ecco, scoprirselo da soli è piú bello. Una volta, per esempio, ero in un posto a presentare *Almost Blue*, che era uscito quel pomeriggio, per cui non poteva ancora averlo letto nessuno se non chi mi presentava, bravo, simpatico e volenteroso, che ha esordito dicendo *dunque, l'Iguana,* e rivelando la fine. La gente c'è rimasta male, e hai voglia a dire *ma no, non è vero, non finisce cosí, quello è un finto finale,* e hai voglia a pensare che la teoria dei colori di Simone sia altrettanto interessante del colpo di scena conclusivo, un romanzo è sempre una storia che ascolti passo dopo passo, si spera a bocca aperta, fino alla fine.

Cosí mi rivolgo a quei lettori che non riescono a trattenersi dal raccontare l'ultima pagina, o a quei critici che non riescono a scrivere di un libro senza ripercorrerne tutta la trama.

Vi prego, non le raccontate quelle due o tre piccole sorprese che ci ho messo dentro. Anche se le avete scoperte subito, anche se il libro non vi è piaciuto, non lo fate.

Altrimenti verrò a prendervi uno per uno e vi mangerò il cuore.

C. L.

Fonti delle canzoni citate nel testo.

I versi alle pp. 3, 79, 135, 167-68 e 205 sono tratti da *Il sogno di volare*, canzone composta e interpretata da Andrea Buffa nell'album *Il sogno di volare*, © & ℗ Galletti-Boston srl, Faenza 2011. https://itunes.apple.com/it/album/il-sogno-di-volare/id425135650?uo=4

I versi a p. 9 sono tratti dalla canzone *Non ricordo piú*, interpretata dai Bandabardò nell'album *Tre passi avanti*, © On the Road Music Factory 2004.

I versi alle pp. 50-52 sono tratti dalla canzone di Luca Carboni e Mauro Malavasi *La mia città*, interpretata da Luca Carboni nell'album *Carboni*, © Bmg Ariola 1992.

I versi a p. 81 sono tratti dalla canzone di Till Lindemann *Benzin*, interpretata dai Rammstein nell'album *Rosenrot*, © Motor Music Records 2005.

I versi alle pp. 126-27 sono tratti dalla canzone di Anton Virgilio Savona *La merda*, interpretata da Anton Virgilio Savona nell'album *È lunga la strada*, © I Dischi dello Zodiaco 1973.

I versi a p. 137 sono tratti dalla canzone *Un servu e un Cristu*, testo popolare siciliano rielaborato dai Mattanza.

I versi alle pp. 193-94 sono tratti dalla canzone *Ricchi e poveri*, testo tratto dalla poesia di Francesco Salvatore Filocamo *Ricchi e povari*, interpretata dagli Arangara nell'album *Arangara*, © & ℗ Galletti-Boston srl, Faenza 2008.

Il verso a p. 194 è tratto dalla canzone di Marina Restuccia (Marina Rei) e Davide Pinelli *Un inverno da baciare*, interpretata da Marina Rei e incisa come album singolo, © Virgin 1999 (poi nell'album *Anime belle*, © Virgin / Emi 1999).

I versi alle pp. 243 e 253 sono tratti dalla canzone di Peppe Voltarelli e Salvatore De Siena *Raggia*, interpretata da Il Parto delle Nuvole Pesanti nell'album *Alisifare*, © Storie di note 1994.

Indice

Questo libro è stampato su carta contenente fibre certificate FSC®
e con fibre provenienti da altre fonti controllate.

Stampato per conto della Casa editrice Einaudi
presso ELCOGRAF S.p.A. - Stabilimento di Cles (Tn)
nel mese di maggio 2013

C.L. 20554

Edizione   Anno

1   2   3   4   5   6   7   2013   2014   2015   2016